베체트병
Behcet's Disease

장현규 지음

군자출판사

베체트병

Behcet's disease

첫째판 1쇄 인쇄 | 2006년 1월 5일
첫째판 1쇄 발행 | 2006년 1월 15일

지 은 이   장현규
발 행 인   장주연
편집디자인   임현주
표지디자인   고경선
발 행 처   군자출판사
등   록   제 4-139호(1991. 6. 24)

본   사   (110-717) 서울특별시 종로구 인의동 112-1 동원회관 BD 3층
          Tel. (02) 762-9194/5   Fax. (02) 764-0209
대 구 지 점   Tel. (053) 428-2748   Fax. (053) 428-2749
부 산 지 점   Tel. (051) 893-8989   Fax. (051) 893-8986

ISBN 89-7089-671-6

정가 25,000원

저자약력

장현규

- 한양대학교 의과대학 졸업
- 내과 전문의 (한양대학교 의료원)
- 류마티스내과 전임의 (한양대학교 류마티스병원)
- 알레르기 면역내과 전임의 (미국 테네시 주립대학교)
- 류마티스내과 전문의
- 울산대학교 류마티스/알레르기 내과 부교수 역임
- 현 단국대학교 류마티스내과 부교수

Behcet's disease

베체트병은 기원전 5세기경 고대 그리스의 히포크라테스가 저술한 책에도 증상이 나올 정도로 인류를 오랫동안 괴롭혀온 질환으로 아직 정확한 발병 원인이 밝혀지지는 않았지만, 최근 이 질환에 대한 여러 연구자들의 헌신적인 노력으로 베체트병의 병인과 치료에 대한 많은 연구가 이루어졌다. 베체트병은 지중해 연안부터 중동 및 극동 아시아에 걸쳐있는 실크 로드(Silk Road)에 인접한 지역에 많이 발병하기 때문에 실크로드 병이라고도 불리는데 지역마다 질병의 임상 양상이 많은 차이를 보이고 있다. 이러한 임상 증상의 차이는 각 지역마다 유전적인 요인과 환경적인 요인의 차이 때문일 것으로 추정되고 있지만 더 연구가 필요한 실정이다.

우리나라도 베체트병이 호발하는 지역 중 하나이며 국내에서 발생하는 베체트병 환자들은 다른 지역 환자들과 임상 증상이 많은 차이가 있기 때문에 외국 환자들을 대상으로 기술된 교과서는 실제 환자를 진료하고 치료에 임하고 있는 임상 의사에게 적합하지 않은 실정이었다. 저자는 최근 수년간 베체트병 환자들을 중점적으로 진료하고 연구하면서 그 동안 연구 결과들을 정리하여 국내 베체트병 환자들의 특성을 반영한 베체트병에 관한 임상지침서를 저술하게 되었다. 이 책은 전공의나 여러 관련과 선생님에게 베체트병 환자를 진단하고 치료하고 연구하는데 작으나마 도움이 될 수 있으리라고 생각한다.

이 책이 나오기까지 면역학과 류마티스학을 공부할 수 있도록 기반을 마련해 주신 미국 테테시주립대학의 유태준 교수님, 지금은 개원하신 김성윤 원장님, 그리고 한양대학교 류마티스병원의 유대현 교수님에게 진심으로 감사드리며, 연구에 물심양면으로 협조해주신 울산대학교 검사의학과 김정욱 교수님, 단국대학교 화학과 장원철 교수님, 그리고 단국대학교 검사의학과 김종완 교수님에게도 감사의 말씀을 드리고자 한다. 또한 방사선 사진 작업을 도와주신 단국대학교 방사선과 이지영 교수님과 귀중한 사진을 기꺼이 제공해 주신 현존하는 베체트병 연구의 최고 권위자이신 터키 Hasan Yazici 교수님 그리고 '책자 발간을 위해 후원해주신 군자출판사 장주연 사장님에게도 감사를 드리며, 마지막으로 항상 곁에서 인내심을 가지고 격려해주고 지켜봐 준 사랑하는 내 가족과 그 동안 믿고 진료와 연구에 적극적으로 협조해주신 베체트병 환우 여러분에게 이 책을 바치고 싶다.

2005. 11

장 현 규

Contents

Behcet 's disease
Contents

역사적 배경
(Historical background)

베체트병은 반복된 구강 궤양, 음부 궤양, 피부 증상, 안구 질환 및 여러 장기를 침범할 수 있는 질환으로 각 장기 병변의 기본적인 병변은 혈관염이다. 원인은 아직 확실히 밝혀지지는 않았지만 오래 전부터 유전적인 소인이 있는 환자에서 감염과 같은 환경적인 요인이 면역 반응을 활성화시켜 질병을 유발한다. 대부분 20대와 40대 사이에 질병이 시작되는 경우가 많고 호전과 악화를 반복하나 일반적으로 질병 초기에 가장 심하며 시간이 지나면서 질병의 활성도는 감소한다[1-3].

베체트병은 인간을 오랫동안 괴롭혀 온 질환이다. 문헌상에 질병에 대한 첫 번째 기술은 기원 전 5세기경 고대 그리스의 Hippocrates가 저술한 3번째 역학 책에 나와 있는데 오늘날 경험하고 있는 베체트병과 유사한 증상이 다음과 같이 기록되어 있다: "There were other forms of fever⋯. Many developed aphthae, ulcerations. Many ulcerations about the genital parts⋯ Watery ophthalmies of a chronic character, with pains; fungus excretions of the eyelids externally, internally, which destroyed the sight of many persons⋯ There were fungous growths on ulcers, and on those localised on the genital organs. Many anthraxes through the summer other great affections; many large herpetes[3,4].

1908년 Bluthe 등은 구강 궤양, 음부 궤양, 및 홍체염 등 세징후(triad)가 있는 환자를 보고하였고, 1923년 Planner와 Remonovsky 그리고 1924년 Shigeta[5] 또한 구강 궤양, 음부 궤양 및 홍체염이 있는 환자를 보고하였으나, 이들은 이러한 증상들이 결핵이나 매독에 의한 것으로 간주되었다[6].

1930년 Benedictos Adamantiades는 아테네의 의학 학회에서 구강 궤양, 음부 궤양, 슬관절 관절염, 및 시력 소실을 초래하는 반복된 전방축농 홍체염(recurrent hypopyon iritis) 등으로 고통 받고

베체트병
Behcet 's disease

그림 1

있는 20세 남자를 보고하면서 독립된 한 질환일 가능성을 시사하였다[7].

1924년 터키 피부과 의사인 헐루시 베체트(Hulusi Behcet)는 반복적인 구강 및 음부 궤양, 결절성 홍반(erythema nodosum), 그리고 안구 질환으로 시력을 소실한 환자를 처음 진찰하였으며, 1930년과 1936년에 유사한 증상을 가진 두 번째 환자와 세 번째 환자를 각각 경험하고 결핵, 곰팡이, 매독 등에 대한 검사 및 조직 검사를 하였으나 특별한 원인균을 찾지 못해 바이러스가 원인인 독립된 질환으로 생각하였다[6,8,9]. 베체트는 그의 생각을 1936년 Journal of Skin and Venereal Diseases에 발표하였으며, 1937년 파리에서 개최된 피부과 학회와 학술지 *Dermatologische Wochenschrift*[10]에 발표하였다. Albert Marchionini 교수는 이러한 질환을 헐루시 베체트 증후군이라고 이름을 붙였고, 베체트와 동시대에 활동한 대대분의 피부과 의사들은 베체트의 주장을 처음에는 비판하였으나 1947년 피부과 국제 학회에서 독립된 질환이며 병명을 "morbus Behcet" (베체트병)라고 명명하였다[8,9]. 1996년 튀니스에서 개최된 제7차 세계 베체트병 학회에서 Hamza[11]는 베체트병(Behcet's disease), 베체트 증후군(Behcet's syndrome) 또는 아다만티아스-베체트병(Adamantiades-Behcet's disease) 등으로 부르자고 주장하였고, 이 세가지 병명이 모두 통용되고 있으나 현재 가장 많이 사용되고 있는 명칭은 베체트병이다.

Dr Hulusi Behcet의 생애. Hulusi Behcet (그림 1)는 1889년 2월 20일 터키의 이스탄불에서 사업가인 아버지 Ahmet Behcet와 어머니 Ayse Behcet 사이에서 태어났다. 유년시절 어머니가 사망하여 할머니에 의해 키워졌는데, 그의 내성적인 성격이 유년기의 성장 과장에 의해 영향을 받았을 것으로 생각된다. 아버지가 사업하시는 다마스커스에서 초등교육을 받았고, 불어, 라틴어, 및 독일어를 유창하게 구사할 수 있었으며 Gülhane Military Medical Academy에서 의학 교육 과정을 1910년에 이수 했는데 그 당시 나이는 21세였다[8,9].

의사가 된 후 Gülhane Military Medical Academy에서 피부과 및 성병 전문의 과정을 이수하였으고, 일차 세계대전이 끝난 후 1923년에 현재 이스탄불 의과대학의 일부가 된 이스탄불 Gurava Hospital에서 피부과 의사로 근무하기 시작하였으며, 같은 해 외교관의 딸인 Refika Davaz와 결혼하였고, 외동딸인 Güler를 낳았다. 베체트는 터키에서 최초로 탄생한 교수들 중 한 명이었으며, 1933년 이스탄불 대학교의 피부과 및 성병학과의 주임교수가 된 후, 1939년 distinguished professor의 타이틀을 받았고 1948년 59세의 나이에 심장병으로 사망하였다. 베체트 교수는 2권의 의학서적을 저술하였고, 국제학술지에 발표한 53편의 논문을 포함하여 196편의 논문을 발표하였다[8,9].

 참고문헌

1. Sakane T, Takeno M, Suzuki N, Inaba G. Behcet's disease. N Engl J Med 1999; 341: 1284-91.

2. Shimizu T, Ehrlich GE, Inaba G, Hayashi K. Behcet disease (Behcet syndrome). Semin Arthritis Rheum 1979; 8: 223-60.

3. Kaklamani VG, Vaiopoulos G, Kaklamanis PG. Behcet's Disease. Semin Arthritis Rheum 1998; 27: 197-217.

4. Hippocrates. Third book on epidemiology. Case 7. Kaktos (ed). 1993; 13: 209.

5. Dilsen N. History and development of Behcet's disease. Rev Rhum Engl Ed 1996; 63: 512-9.

6. Verity DH, Marr JE, Ohno S, Wallace GR, Stanford MR. Behcet's disease, the Silk Road and HLA-B51: historical and geographical perspectives. Tissue Antigens 1999; 54: 213-20.

7. Adamantiades B. Sur un case d' iritis á hypopyon récidivant. Ann Oculist 1931; 168: 271-8.

8. Saylan T. Life story of Dr. Hulusi Behcet. Yonsei Med J 1997; 38: 327-32.

9. UStun C. A famous Turkish dermatologist, Dr. Hulusi Behcet. Eur J Dermatol 2002; 12: 469-70.

10. Behcet H. Über rezidivierende aphthöse, durch ein Virus Verursachte Geschwüre am Mund, am Auge und an den Genitalian. Dermatol Wschr 1937; 105: 1152-7.

11. Hamza M, Foreword. In: VII International Conference on Behcet' s disease, Tunis, Tunisia, October 10-11, 1996. Rev Rhum Engl Ed 1996; 63: 507.

Chapter 2

Behcet's disease

역학 (Epidemiology)

　지중해 연안부터 극동 아시아에 이르는 북위 30도와 45도 사이의 지역에서 발병 빈도 (incidence)가 가장 높으며, 1982년 Ohno는 베체트병의 호발 지역이 옛 실크 로드(ancient Silk Road)와 잘 일치한다고 하여 실크로드병(Silk Road Disease)이라고 명명하였다(그림 2)[1,2].

　발병 연령은 베체트병의 진단 기준을 만족하는 나이를 기준으로 할 때 중동지역 환자에서는 20대 중반에 가장 많이 질병이 발생하였는데 반해[3-5] 우리나라에서는 30대 중반에 시작하는 경우가

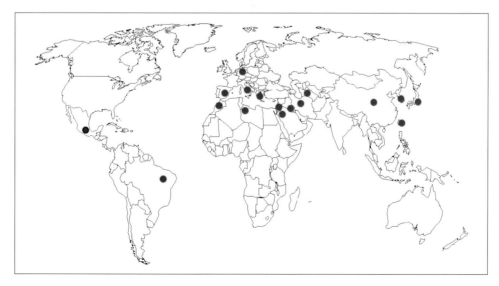

그림 2

가장 많았다[6]. 또한 남녀비는 지역에 따라 차이가 있는데 일반적으로 지중해 연안국에서는 남자에 질병이 잘 발생하고[4,5,7], 우리나라에서는 여자에서 남자에 비해 2배 가량 많이 발생하는 것으로 알려져 있다[6,8].

베체트병의 유병률(prevalence)은 지역마다 많은 차이가 있다. 역학 조사를 통해 밝혀진 자료에 따르면 중동 지역에서 가장 높은 유병률을 보여주고 있는데 터키에서는 인구 10만명당 80명에서 420명까지 보고되고 있고[3,9-11], 이스라엘에서는 인구 10만명당 120명 가량이 보고되었다[12]. 독일에서는 인종에 따라 다른 유병률을 보여주고 있는데, 서부 베를린에 거주하는 터키계 시민에서의 유병률은 인구 10만명당 21명 그리고 독일계 시민은 10만명당 0.4명이었다[7]. 그러나 독일의 자료는 역학 조사를 통한 것이 아니고 병원에 등록된 환자의 자료이어서 실제 환자수는 이보다 훨씬 많을 것으로 판단된다. 영국과 미국에서는 베체트병의 발병률이 아주 낮게 보고 되고 있는데, 인구 10만명당 베체트병 유병률은 각각 영국 0.64명, 미국 0.12-0.33명으로 알려져 있다[3].

일본에서 역학 조사를 통한 유병률은 아직 알려져 있지 않지만, 병원에 등록된 환자의 유병률은 인구 10만명당 10-20 가량으로 보고되고 있는데[3,4], 실제 환자수는 이보다 훨씬 많으리라고 생각된다. 우리나라에서는 제대로 된 유병률은 아직 보고가 없는데 저자의 임상 경험에 비추어 전신성 홍반성 루푸스 환자보다는 베체트병 환자가 2-3배 이상 많으며 병원에서 치료 받고 있지 않는 경미한 환자까지 포함하면 10만명당 50-100명 정도의 환자가 있으리라고 추정할 수 있다.

 참고문헌

1. Verity DH, Marr JE, Ohno S, Wallace GR, Stanford MR. Behcet's disease, the Silk Road and HLA-B51: historical and geographical perspectives. Tissue Antigens 1999; 54: 213-20.

2. Ohno S, Ohguchi M, Hirose S, Matsuda H, Wakisaka A, Aizawa M. Close association of HLA-Bw51 with Behcet's disease. Arch Ophthalmol 1982; 100: 1455-8.

3. Sakane T, Takeno M, Suzuki N, Inaba G. Behcet's disease. N Engl J Med 1999; 341: 1284-91.

4. Kaklamani VG, Vaiopoulos G, Kaklamanis PG. Behcet's Disease. Semin Arthritis Rheum 1998; 27: 197-217.

5. Gurler A, Boyvat A, Tursen U. Clinical manifestations of Behcet's disease: an analysis of 2147 patients. Yonsei Med J 1997; 38: 423-7.

6. Chang HK, Kim JW. The clinical features of Behcet's disease in Yongdong districts: analysis of a cohort followed from 1997 to 2001. J Korean Med Sci 2002; 17: 784-9.

7. Zouboulis CC, Kotter I, Djawari D, et al. Epidemiological features of Adamantiades-Behcet's disease in Germany and in Europe. Yonsei Med J 1997; 38: 411-22.

8. Bang D, Lee JH, Lee ES, Lee S, Choi JS, Kim YK, et al. Epidemiologic and clinical survey of Behcet's disease in Korea: the first multicenter study. J Korean Med Sci 2001; 16: 615-8.

9. Yurdakul S, Gunaydin I, Tuzun Y, Tankurt N, Pazarli H, Ozyazgan Y, *et al.* The prevalence of Behcet's syndrome in a rural area in northern Turkey. J Rheumatol 1988; 15: 820-2.

10. Idil A, Gurler A, Boyvat A, Caliskan D, Ozdemir O, Isik A, et al. The prevalence of Behcet's disease above the age of 10 years. The results of a pilot study conducted at the Park Primary Health Care Center in Ankara, Turkey. Ophthalmic Epidemiol 2002; 9: 325-31.

11. Azizlerli G, Kose AA, Sarica R, Gul A, Tutkun IT, Kulac M, et al. Prevalence of Behcet's disease in Istanbul, Turkey. Int J Dermatol 2003; 42: 803-6.

12. Jaber L, Milo G, Halpern GJ, Krause I, Weinberger A. Prevalence of Behcet's disease in an Arab community in Israel. Ann Rheum Dis 2002; 61: 365-6.

병인과 조직학적 소견
(Pathogenesis and histological findings)

베체트병은 조직학적으로 정맥의 혈전 형성을 잘하며 혈관염이 특징적인 질환으로, 구강 궤양, 음부 궤양, 피부 증상, 및 관절 증상 등 비교적 경미한 증상을 갖는 환자부터, 포도막염, 장궤양 및 천공, 혈관계 증상, 그리고 신경계 질환 등 주요 장기를 침범하는 심한 환자까지 다양하다[1,2].

질환의 발병 원인이나 기전에 대해 확실히 밝혀지지는 않았으나 오래 전부터 유전적인 소인이 있는 사람에서 감염 등 환경적인 요인이 면역 반응에 이상을 일으켜 질병의 여러 증상이 발현한다고 한다. HLA-B51은 여러 인종에서 베체트병과 가장 연관성이 많은 유전 인자로 알려져 있으나 HLA-B51이 베체트병의 감수성에 직접 관여하는지 아니면, HLA-B51과 연관 불균형(linkage disequilibrium) 관계에 있는 인접한 다른 유전 인자가 베체트병의 감수성과 관계 있는지는 아직 확실하지 않다[3-5].

Streptococcus sanguis, 단순 헤르페스(herpes simplex) 바이러스, 및 heat shock proteins (HSP) 등으로부터 유래된 항원이 베체트병의 병인에 관여한다고 알려졌는데, 최근 세균의 65-kD HSP이 인간 미토콘드리아의 60-kD HSP과 구조가 거의 일치하여 교차 반응을 통해 T 세포(특히 $\gamma\delta$ T 세포)의 활성화를 유발하고, 결국 여러 면역 세포에서 T helper (Th) 유형의 싸이토카인을 분비하게 된다. 결과적으로 혈중에 염증을 유발하는 싸이토카인의 증가가 베체트병의 염증 반응을 유발한다고 생각되고 있는데, 이러한 면역 반응으로 인한 베체트병의 염증 반응이 유전인자와 관련되었을 가능성이 많다[6].

1. 유전적인 요인(Genetic factors)

베체트병은 세계 여러 지역에서 발병하나 특히 북위 30도와 45도 사이에 위치한 지중해(Mediterranean) 연안부터 극동(Far East)에 이르는 지역에 발병 빈도가 높고 질병의 경과도 심하며, 이 지역에 사는 일반인들에서 지금까지 알려진 베체트병의 가장 중요한 유전인자인 HLA-B51의 검출 빈도(10% 이상)가 높다[7]. 흥미롭게도 이는 옛 실크로드(ancient Silk Road)와 거의 일치하여 1982년 일본의 Ohno는 베체트병을 실크로드 병(Silk Road disease)이라고 명명하였다[8]. 이러한 베체트병과 HLA-B51과의 연관성은 병인에 유전적인 요인이 관여할 것이라는 것을 가장 잘 보여주는 증거이기도 하다.

또한 한 가족 내에 베체트병의 발병률이 증가하는 것으로도 유전적인 요인을 설명할 수 있다. 베체트병이 드문 북부 유럽에서는 가족 내 베체트병의 발병률이 2-5% 정도로 보고되고 있으나, 베체트병이 많이 발병하는 지중해 연안국이나 한국에서는 8-34%까지 보고되고 있다[1,9-12]. 더욱이 이러한 가족력은 성인 환자보다는 소아 환자에서 더 저명하다고 알려져 있다(2.2% vs. 12.3%)[13]. 마찬가지로, 베체트병의 빈도가 같은 지역에 사는 인종이 각기 다른 집단 사이에서 다르다는 사실 또한 베체트병의 발생에 유전인자가 관여함을 시사한다. 예를 들어 서부 베를린에 거주하고 있는 터키계 시민의 베체트병 유병률은 10만명당 21명인데, 독일계 시민에서는 10만명당 단지 0.4명이었다[10]. 그리고 형제간 재발률(sibling recurrence risk ratio, λs)을 11.4-52.5로 보고한 터키의 한 연구도 베체트병의 병인에 유전적인 요인이 관여함을 강력히 시사하는 소견이다[14]. 그러나 베체트병은 멘델의 유전법칙에 의해 유전되지 않으며, 유전되는 정확한 모델은 아직 밝혀지지 않았다.

최근 베체트병의 유전적인 감수성은 주조직적합복합체(major histocompatibility complex, MHC) 유전인자뿐만 아니라, non-MHC 유전인자 등 여러 유전인자가 관여한다고 알려져 있으며, 질병의 임상 양상이 지역에 따라 많은 차이가 있는 것처럼, 유전인자에 대한 감수성도 지역적인 특성이 있는 것 같다[15]. 그림 3은 베체트병에서 가장 많은 연구가 이루어진 MHC 유전자 중 class I과 class III 부분을 보여주고 있다.

1) 주조직적합복합체 유전인자(MHC genes)
(1) HLA-B51

HLA-B51은 지금까지 알려진 베체트병과 가장 연관성이 많은 유전인자로서 1973년 일본의 Ohno 등[16]이 최초로 HLA-B5(나중에 HLA-B51과 B52로 나뉨)와 베체트병과의 관계를 보고하였

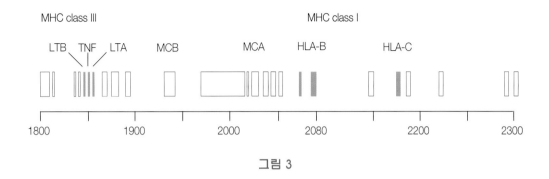

그림 3

고, 그 이후 아시아(일본[8,16-20], 한국[21,22], 중국[23], 대만[24], 터키[25-29], 이스라엘[30-32], 요르단과 파키스탄[33], 이란[34] 및 이라크[35]), 남부 유럽(이탈리아[36-38], 그리스[39-41], 스페인[42] 및 독일[10,43]), 북부 아프리카(모로코[44] 및 튜니지[45]), 북미(멕시코[46]), 그리고 남미(브라질[47]) 등 여러 지역의 여러 인종에서 이 유전인자가 베체트병과 밀접한 관계가 있음이 보고되고 있으나, 북부 유럽(영국[27,48,49]) 과 북미(미국[50,51]) 등 일부 지역에서는 HLA-B51이 베체트병과 연관이 없다고 알려져 있다(표 1).

HLA-B51이 양성인 일반인에서 베체트병이 발생할 위험도는 지역에 따라 많은 차이가 있는데, 옛 실크로드에 인접한 지역에서는 교차비(odds ratio)가 3-18배 정도로 다른 지역에 비해 높게 보고되고 있으며[15], 최근의 연구에서 실크로도 밖에 위치한 나라 중 영국[52], 멕시코[46] 및 브라질[47] 등과 같은 일부 지역에서도 베체트병의 발생이 HLA-B51과 관련성이 있다고 한다. 영국의 경우 베체트병 환자는 오래 전부터 HLA-B51과 연관이 없다고 알려져 왔으나[27,48,49], 최근의 연구[52]에서 영국에 사는 백인 환자에서도 건강 대조군에 비해 HLA-B51의 빈도가 현저하게 높다고 보고되고 있다. 그럼에도 불구하고 베체트병이 호발하는 지역적인 분포는 옛 실크로드와 잘 일치하며, 이러한 사실은 베체트병의 유전인자가 옛 실크로드를 따라 이동하는 투르크족이나 유목민에 의해 전파되었을 가능성을 시사한다고 하겠다[7,8]. 국내에서 HLA-B5와 베체트병의 연관성에 관한 연구는 1988년 처음으로 Lee 등[21]에 의해 52명의 환자 중 44.2%에서 HLA-B5가 검출된다고 보고 되었으며, HLA-B51에 대한 연구는 Chang 등[22]이 61명의 베체트병 환자 중 55.7%에서 HLA-B51이 검출되었고, 건강 대조군에서 HLA-B51의 양성 빈도는 15.7%이며, HLA-B51을 가진 경우 베체트병에 생길 위험은 교차비가 6.8배라고 보고하였다.

6번 염색체의 단완에 위치하는 인간의 MHC 유전자는 T 세포에 항원을 전달하는 다형성이 심한 백혈구 항원들(human leukocyte antigens, HLA)을 내포하고 있다. 1978년 HLA-B5는 HLA-B51

표 1. HLA-B5 혹은 B51 항원의 지역적인 분포 및 베체트병과 연관성

Continents	Ethnic groups	Source, yr	Frequencies of HLA-B5 or B51 Patients (%)	Controls (%)	OR	P
Asia	Japanese	Ohno et al[16], 1973	71*	31	5.6	〈 0.05
		Ohno et al[17], 1975	75*	31	6.8	〈 0.05
		Ohno et al[18], 1978	61	21	5.7	〈 0.05
		Ohno et al[8], 1982	62	21	6.0	〈 0.05
		Mizuki et al[19], 1992	57	14	7.9	〈 0.05
		Mizuki et al[20], 1999	59	14	9.0	〈 0.05
	Korean	Lee et al[21], 1988	44*	17	4.0	〈 0.05
		Chang et al[22], 2001	56	16	6.8	〈 0.05
	Han Chinese	Mineshita et al[23], 1992	56	12	9.3	〈 0.05
	Taiwan Chinese	Chung et al[24], 1987	51	11	8.5	〈 0.05
	Turk	Yazici et al[25], 1977	84*	27	14.0	〈 0.05
		Ersoy et al[26], 1977	85*	25	16.2	〈 0.05
		Yazici et al[27], 1980	82	23	15	〈 0.05
		Muftuoglu et al[28], 1981	77*	33	8.4	〈 0.05
		Gul et al[29], 2001	63	25	5.2	〈 0.05
	Israeli	Brautbar et al[30], 1978	59*	22	5.0	〈 0.05
		Chajek-Shaul et al[31], 1987	71	13	17.1	〈 0.05
		Arber et al[32], 1991	63	9	18.2	〈 0.05
	Palestinian and Jordanian	Verity et al[33], 1999	66	15	10.9	〈 0.05
	Iranian	Mizuki et al[34], 2001	62	32	3.5	〈 0.05
	Iraqi	Al-Rawi et al[35], 1986	62	29	3.9	〈 0.05
Europe	Italian	Baricordi et al[36], 1986	82	22	16.0	〈 0.05
		Kera et al[37], 1999	71	18	11.5	〈 0.05
		Salvarani et al[38], 2001	57	19	5.7	〈 0.05
	Greek	Zervas et al[39], 1988	75*	32	6.2	〈 0.05
		Mizuki et al[40], 1997	81	27	11.5	〈 0.05
		Koumantaki et al[41], 1998	81	26	11.6	〈 0.05
	Spanish	Gonzalez-Escribano et al[42], 1998	38	16	3.2	〈 0.05
	German	Zouboulis et al[10], 1997	36*	14	3.5	〈 0.05
		Kotter et al[43], 2001	58	12	9.76	〈 0.05
	British	Jung et al[48], 1976	20	NR	NC	NC
		Lehner et al[49], 1979	19*	12	1.7	NS
		Yazici et al[27], 1980	21	12	2	NS
		Ahmad et al[52], 2003	33	10	4.5	〈 0.05
Africa	Moroccan	Choukri et al[44], 2001	30	15	2.4	〈 0.05
	Tunisian	Ben Ahmed et al[45], 2003	49	26	2.8	〈 0.05
North America	American	O' Duffy et al[50], 1976	12*	10	1.2	NS
		Ohno et al[51], 1978	17*	NR	NC	NC
	Mexican	Lavalle et al[46], 1981	70*	31	5	〈 0.05
South America	Brazilian	Marin et al[47], 2004	52	18	4.8	〈 0.05

* the frequency of HLA-B5; OR: odds ratio; P 〈 0.05: significant association; NS: non-significant; NR: not recorded; NC: non-calculable; reprinted from Chang HK, Curr Rheumatol Rev 2005;1: 213 - 21.

과 HLA-B52로 분리되었는데[53], HLA-B51은 HLA-B52와 α_2 domian의 63번 아스팔라긴과 67번 페닐알라닌 등 2개의 아미노산만 다르며, 이들이 antigen-binding groove의 B pocket을 형성하기 때문에 antigen-binding motif들이 서로 다르다고 한다[54,55]. 그래서 미즈키 등[19]은 HLA-B51에 특이적인 이러한 2개의 아미노산이 베체트병의 발생에 중요한 역할을 할 것이라고 주장하였으며, 1978년 오노 등[18]은 HLA-B51은 베체트병과 밀접한 관련이 있으나 HLA-B52는 베체트병과 연관이 없다고 보고하였다. 지금까지 26개의 HLA-B51 아형(HLA-B51 subtype)들이 보고되었는데, 우리나라를 포함한 여러 인종에서 환자나 건강 대조군 모두 HLA-B5101이 가장 흔한 아형으로 차이가 없었다[15,22,40-43,56,57].

그 동안 베체트병의 유전인자에 대해 많은 연구가 있었으나, 아직 HLA-B51이 베체트병 발생에 직접 관여하는지 아니면 HLA-B51과 연관 불균형(linkage disequilibrium) 관계에 있는 인접한 다른 유전자가 베체트병의 가장 중요한 감수성 유전인자인지는 불확실한데, 베체트병의 중요한 병리학적인 특징 중의 하나가 농포성 구진, 페설지 반응 및 전방축농(hypopyon) 등 전형적인 병변에 호중구가 침윤하는 현상이다[4,58]. Chajek-Shaul 등[31]은 HLA-B51 양성인 환자에서 호중구 주화성이 현저히 증가함을 증명하였으며, Sensi 등[59]은 HLA-B51이 호중구 기능을 조절하는 역할을 할 수도 있다고 보고하였다. 더욱이 Takeno 등[60]은 HLA-B51 양성인 베체트병 환자와 건강 대조군에서 호중구 기능이 항진되어 있으며, HLA-B51 트랜스제닉 마우스에서 formy-methionine leucine phenylalanine (fMLP)으로 호중구를 자극하는 경우 대조 마우스(nontrangenic mouse)에 비해 현저히 많은 양의 과산화물(superoxide)을 생성한다는 것을 증명하였다. 그러나 이들은 HLA-B51 트랜스제닉 마우스에서 베체트병의 특징적인 임상 양상이 발현되지 않았기 때문에 HLA-B51 항원은 호중구의 기능 항진에는 부분적으로 관여하지만 유전적으로 감수성이 있는 사람에서 질병이 발병하기 위해서는 환경적인 요인이 필요할 것이라고 암시하였다.

HLA-B51 양성인 환자가 특정 임상 양상이 잘 발현하는지 아니면 심한 임상 경과를 갖는지에 대해서는 논란이 있다. 많은 연구자들이 HLA-B51 양성인 환자에서 안구 침범, 진행성 중추신경계 질환, 및 구강 궤양, 음부 궤양, 피부 병변 그리고 안구 증상 등을 모두 갖는 전형적인 임상 양상의 발현 등과 관련이 있다고 보고하였다[1,2,8,10,21,22,33,49]. 특히 중동의 한 연구에서 HLA-B51과 베체트병과의 연관성의 정도는 안구 증상이 없는 환자보다 안구 증상이 있는 환자에서 많았으며, 특히 실명을 동반한 심한 안구 질환의 경우 가장 연관성이 높았다[33]. 또한 HLA-B51 유전자가 양성인 환자에서 베체트병에 대한 가족력이 많았고[29-32,61,62], 흥미로운 것은 터어키의 한 연구[63]에서 병원에 내원한 환자들의 HLA-B51 검출 빈도는 약 80% 가량인데 반해 사회에서 역학 조사시 발견된 환자에서 HLA-B51 빈도는 30% 가량으로 병원에서 치료가 필요한 심한 환자에서 HLA-B51 양성률이 높음을 암시하였다. 그러나 HLA-B51 양성인 환자에서 베체트병의 중증도나 특정 임상 증상과 관련이 없다는 보고도 있는데[28,29,64,65], 이러한 연구 결과들의 차이는 연구를 실시한 방법이나 인종의 차이 등에 기인할 수도 있으리라고 생각한다.

HLA-B51이 베체트병과 가장 연관성이 많은 유전인자로 알려졌으나, Gul 등[66]은 가족력이 있는 환자에 대한 연구에서 HLA-B 유전자좌가 베체트병의 전반적인 유전적 감수성에 기여하는 정도가 20% 미만이라고 보고하였으며, 베체트병이 다발하는 지역에서도 환자의 30-50%가 HLA-B51 음성이라는 점 등은 HLA-B51 이외의 다른 유전인자가 관여하거나 베체트병의 병인에 환경적인 요인이 같이 작용함을 시사한다[15].

(2) HLA-B51과 인접한 MHC 유전인자(Other MHC genes nearby HLA-B51)

1994년 HLA-B 유전자에 인접한 MHC class III에 위치한 새로운 유전인자인 MHC class I chain-related gene A (MICA)가 발견되었는데[67], MIC 유전자에는 기능이 있는 유전자인 MICA와 MICB 및 기능이 없는 가성 유전자인 MICC, MICD, MICE, MICF 그리고 MICG 등 7개의 유전자가 속한다. MICA는 HLA-B 유전자좌로부터 중심절 방향(centromeric)으로 46 kb 거리에 위치하고 있으며 다형성이 심하고, 섬유모세포, 상피세포, 내피세포, 각질세포 및 단핵구 등에 발현되고 있는데[68,69], MICA 유전자의 이러한 발현 부위가 베체트병의 염증 부위와 유사하며, 베체트병의 병인에 중요한 역할을 한다고 생각되고 있는 $\gamma\delta$ T 세포에 의해 인식된다는 점[70] 등으로 베체트병의 감수성에 관여할 수 있는 유전인자로 생각될 수 있다.

1997년 Mizuki 등[71]은 HLA-B 와 종양괴사인자(tumor necrosis factor, TNF) 유전자 사이의 유전적인 연관성에 대해 연구하다가 MICA의 transmembrane 영역의 GCT/AGC가 6회 반복하는 MICA-A6가 베체트병과 밀접하게 연관되어 있다고 처음으로 보고하였는데, 이들은 HLA-B51 음성인 환자들 중 상당수가 MICA-A6 대립 유전자를 보유하고 있어 MICA 유전자가 베체트병 발병에 중요한 유전인자임을 시사하였다. 이어서 같은 연구 그룹[72]은 microsatellite 표지자들을 이용하여 HLA-B 유전자좌 주위를 분석하니 베체트병의 병인에 가장 중요한 부위가 HLA-B와 MICA사이의 46 kb 영역이며 이 부위에는 MICA와 HLA-B 외에는 기능이 있는 유전자가 없기 때문에 MICA가 베체트병의 발생에 가장 중요한 유전인자일 것이라고 주장하였다. 그 후 MICA와 베체트병과의 연관성에 대한 보고들이 여러 인종에서 있었으나, 최근 MICA와 베체트병과의 연관성은 MICA와 HLA-B51 간의 강력한 연관 불균형의 결과이며, 베체트병과 가장 밀접한 관련이 있는 유전자는 HLA-B51 그 자체라고 보고되고 있다[20,73-75]. 그러나 MICA 유전자가 베체트병의 감수성에 기여할 가능성을 완전히 배제할 수는 없으며, Mizuki 등[20]은 HLA-B51과 MICA 대립유전자로 이루어진 일배체형(haplotype)이 베체트병의 병인에 관여할 것이라고 주장하였다.

TNF는 다양한 염증과 면역 조절기능을 통해 숙주를 방어하는 역할을 하며, 과생성되는 경우 여러 염증성 질환의 병리와 밀접한 관계가 있다[6]. TNF 유전자는 MICB 유전자 바로 옆 중심절 쪽으로 위치하며, 여러 부위에 다양한 유전자 다형성이 보고되고 있다. 활동기 베체트병에서도 혈중 TNF와 TNF 수용체의 증가 및 TNF를 생성하는 $\gamma\delta$ T 세포와 단핵구의 증가가 관찰되고 있으며[77-80], 최근 TNF 차단제의 투여로 기존치료에 반응하지 않는 심한 베체트병 증상들이 현저히 호전된다고 보고되어[81], TNF가 베체트병의 염증 반응에 중요한 역할을 할 것으로 생각되고 있다. Verity 등[33]은 TNF 유전자 다형성과 베체트병과의 일차적인 연관성은 발견하지 못했지만 HLA-B51과 TNFB[*]2 대립유전자를 같이 갖는 경우 심한 안구질환의 발생과 관계가 있음을 보고하였으며, Ahmad 등[52]은 영국 백인 환자들을 대상으로 TNF 유전자의 촉진체(promoter)에 위치한 TNF -1031C 대립유전자가 HLA-B51과 무관한 베체트병의 위험 인자임을 밝혀냈다. 국내에서는 Lee 등[84]이 TNF α-308 G/A, TNF β+252 G/A 및 TNFR2 196 R/M 등 유전인자에 관한 연구에서 베체트병과 연관성이 없다고 보고하였다. 그러나 TNF 생성에 관여한다고 보고되고 있는 여러 다른 TNF 유전자 다형성 부위들과 베체트병과의 연관성에 관한 연구가 국내에서도 더 필요하리라고 생각되며 저자는 국내 베체트병 환자들을 대상으로 TNF 유전자의 촉진체에 위치한 여러 유전자 다형성 부위에 대한 연구를 시행하였는데, TNF 유전자 다형성이 국내 환자에서는 베체트병의 발생에 기여하지 못함을 발견하였다(미출간 자료).

그밖에 베체트병과 연관성을 보인 MHC 유전인자들로는 영국 백인 환자들을 대상으로 한 연구에서 HLA-B[*]5701이 HLA-B51과 비슷한 정도의 위험인자라고 보고되었고[52], HLA-Cw[*]1602 유전자가 HLA-B51보다 비교위험도가 더 높다고 남부 스페인에서 보고되었으나[83], 중동에서 보고된 다른 연구에서는 HLA-Cw[*]1602과 베체트병의 연관성은 HLA-Cw[*]1602과 HLA-B[*]5108과의 연관 불균형의 결과이며, HLA-Cw[*]1602가 베체트병 발생에 독립적인 위험인자는 아니라고 하였다[33]. 최근 터어키의 가족성 베체트병 환자를 대상으로 한 연구에서 6번 염색체 단완에서 MHC보다 종밀체 방향(telomeric)으로 위치한 6p22-6p23 부위가 베체트병 감수성의 또다른 유전자좌라고 보고되었다[84].

2) Non-MHC 유전인자(Non-MHC genes)

베체트병의 병인에 여러 유전인자가 관여하는 것으로 알려져 있으며, 최근 국내를 포함한 여러 나라에서 MHC 이외의 다른 유전자에 대한 활발한 연구가 진행 중이다. 인터루킨(interleukin, IL)-1 α나 IL-1 β를 부호화하고 있는 IL-1 유전자 군집(cluster)은 2q12-q13에 위치하고 있으며, 터키에서 시행된 연구에서 IL-1A -889C 대립유전자와 IL-1A -889C/IL-1B +5887T 일배체형이 베체트병의 감수성 인자라고 보고되었다[85]. 또한 intercellular adhesion molecule-1 (ICAM-1)은 베체트병 환자의 혈관내피 세포와 혈관주위 염증 침윤 부위에 많이 발현되어 있다고 알려져 있는데, 19번 염색체의 단완에 위치하는 ICAM-1 유전자 다형성 부위 중 E469 대립유전자는 중동지역과 국내에서 시행된 연구에서 감수성 인자라고 보고되었으며[86,87], R241 대립유전자는 이탈리아 백인 환자에서 베체트병과 연관성이 있었다[88].

혈관내피(endothelial) nitric oxide synthase (eNOS, NOS-III)에 의해 생성된 산화 질소(nitric oxide)는 혈관의 긴장도(vascular tone)를 유지하는 역할을 하는데, 7q35-q36에 위치한 eNOS 유전자의 변형이 있는 경우 관상동맥 질환, 고혈압, 뇌경색, 및 신질환 등 여러 혈관 질환의 발생과 관련이 있다고 알려져 있다[89]. 이탈리아와 국내에서 진행된 베체트병과 eNOS 유전자 다형성과의 연구에서 엑손(exon) 7에 위치한 Asp298 대립유전자가 베체트병의 감수성 인자라고 보고되었다[90,91]. 또한 1q23에 위치한 factor V Leiden 유전자 다형성과 11p11-q12에 위치한 프로트롬빈(prothrombin) 유전자 다형성이 베체트병 환자에서 혈관의 혈전증을 유발하는 위험인자인지에 대해서는 연구자에 따라 다른 결과가 보고되고 있다. 여러 연구자가 factor V Leiden 유전자 다형성과 프로트롬빈 유전자 다형성이 베체트병에서 혈전증의 위험인자라고 보고한 반면[92-96], 최근 이탈리아에서 시행된 연구에서 이 두 유전자 다형성 부위는 혈전증이 있는 환자와 없는 환자 간에 차이가 없었고, 단지 프로트롬빈 유전자 다형성이 안구 증상의 발생 및 중증도와 관련이 있다고 보고되었다[97].

그밖에도 7p21에 위치한 IL-6 유전자 다형성이 여러 만성 염증성 질환 및 자가면역 질환과 연관성이 있다고 알려져 있으며[98], 활동기 베체트병 환자의 혈액 및 뇌척수액에서 IL-6가 증가되어 있고 IL-6 mRNA 발현도 증가되어 있다고 보고되어[80,99] 시행된 연구에서 IL-6vntr*C 대립유전자와 IL-6prom*G/IL-6vntr*C 일배체형이 국내 베체트병과 연관성이 있었으며, 이러한 연관성은 HLA-B51 음성인 환자와 여자 환자에서 현저하여, 전에 기술한 바와 같이 국내 베체트병이 여자에서 많이 발생하는 것에 IL-6 유전자 다형성이 기여하는지 더 연구가 필요하다고 생각된다[100]. 그러나 베체트병의 병인에 관여할 것으로 추정되어 진행된 연구에서 angiotensin-converting enzyme 유전자 다형성[101]과 IL-8 및 IL-8 수용체 다형성[102]은 국내 베체트병과 연관성이 없었으며, IL-18 유전자 다형성 부위들은 베체트병 환자와 대조군 간에 차이가 없었으나 포도막염의 발생과 관련이 있었다[103].

2. 감염과 베체트병(Infection and Behcet's disease)

베체트병의 발병이 유전인자만으로 결정되지는 않는 것 같다. 아메리카인디언들은 HLA-B51 항원의 양성 빈도가 높으나 베체트병이 발병한 환자가 없고[7], 베체트병의 발생 빈도가 미미한 미국의 캘리포니아와 하와이로 이주한 일본인에서 발생한 베체트병 환자가 없다고 하며[104,105], 베체트병 환자와 건강인의 HLA-B51 아형은 대부분 HLA-B*5101로 차이가 없는 점[15,22,40-43,56,57] 등은 감염 등 환경적인 요인(environmental factors)이 베체트병의 발생에 기여함을 시사한다.

1) 단순포진 바이러스(Herpes simplex virus, HSV)

베체트병 환자를 처음 공식적으로 보고한 터어키의 피부과 의사 Hulusi Behcet 교수[106]도 환자의 구강 궤양과 음부 궤양에서 포함체들(inclusion bodies)을 발견하여 베체트병의 발병 원인이 바이러스일 것으로 추정하였다. 그 후 환자의 말초혈액, 타액 등에서 종합효소연쇄반응 (polymerase chain reaction)을 이용하여 HSV 1형(HSV-1) DNA가 검출되었으며[107-109], HSV 바이러스에 대한 항체도 환자의 혈청에서 발견되었다고 보고되었다[110]. 그러나 일본의 연구자들은 베체트병 환자뿐만 아니라 다른 질환의 병변에서도 HSV-1과 HSV-2가 검출되어 HSV가 베체트병의 병인에 직접 관여함을 증명할 수 없었다고 하였지만[111], 최근 Sohn 등은 HSV-1 바이러스를 접종한 ICR mice의 30% 가량에서 베체트병 증상과 유사한 피부증상, 안구증상, 음부 궤양, 관절염, 및 장궤양 등이 발생하였으며[112], ICR mice에 항바이러스제인 famciclovir를 투여하니 베체트병과 유사한 증상들이 호전됨을 보고하여, 베체트병의 발생에 HSV-1 바이러스가 관여함을 시사하였다[113].

2) 연쇄상구균(Streptococcus)

Hulusi Behcet와 동시대 인물인 Benedictos Adamantiades[114]는 세균 감염이 베체트병의 원인일 것이라고 주장하였다. 연쇄상구균 항원은 오랫동안 베체트병의 병인에 관여할 것으로 생각되었는데, 연쇄상구균 항원에 대한 피부 반응의 증가뿐만 아니라, 피부 반응 검사 도중 베체트병의 증상이 악화된 경우도 보고되고 있다[115-116]. 또한 건강 대조군에 비해 베체트병 환자의 구강 내 정상 균무리(normal flora) 중 *Streptococcus sanguis* 집락들(colonies) 수가 증가되어 있으며[117], 베체트병 환자는 정상인에 비해 충치, 치주염 및 편도선염의 빈도가 높다고 알려져 있다[118-119]. Mizushima 등[115]은 발치 후 발병된 베체트병 환자들을 보고하였고, Chang 등[120]은 류마티스 관절염 환자에서 발치 후 베체트병 증상이 악화된 예를 보고하였는데, 이는 구강 내 연쇄상구균 감염이 베체트병의 병인에 관여할 것이라는 것을 시사한다. 그리고 *S. sanguis* 중 KTH-1, KTH-2 및 KTH-3은 *S. oralis*로 판명되었으며 베체트병 환자의 혈청에서 이들에 대한 항체가 발견되었으나, 건강 대조군이나 류마티스 관절염 환자에서는 발견되지 않았다[121].

3) 열충격 단백질(Heat shock proteins, HSPs)

세균의 HSPs과 인간 미토콘드리아의 HSPs의 구조가 거의 일치하며(molecular mimicry) 이들간의 교차반응을 통하여 자가반응 T 세포(autoreactive T cell)를 자극할 수 있는 것으로 알려져 있는데, 실제 영국의 연구에서 4개의 미코박테륨(mycobacterial) 65-kD HSPs (111-125, 154-172, 219-233, 311-325)과 동일한 인간 60-kD HSPs (136-150, 179-197, 224-258, 336-351)이 베체트병 환자의 T 세포를 자극할 수 있음이 처음으로 보고되었고[122], 일본과 터키 베체트병 환자에서도 이러한 HSPs에 T 세포의 반응이 증가되어 있음이 알려졌다[123,124]. Stanford 등은 인간 60-kD HSPs를 Lewis rat에 프로인트 항원보강제(Freund's adjuvant)와 같이 투여했을 때 336-351 펩타이드가 가장 포도막염을 잘 유발하였으며[125], 최근 이 펩타이드를 재조합 콜레라 독소(recombinant cholera toxin) B에 링크시켜 심한 포도막염이 자주 재발하는 베체트병 환자에 경구 투여하여 큰 부작용 없이 포도막염의 재발을 막는데 효과가 있었다고 보고되었다[126].

3. 면역학적인 이상(Immunological abnormalities)

1) 호중구 과반응성(Neutrophil hyperreactivity)

호중구는 선천성 면역(innate immunity)에 중요한 역할을 하며, 페설지 양성 반응, 농포성 병변 및 전방축농(hypopyon) 등 베체트병의 전형적인 병변에 많이 침윤되어 있기 때문에[1,2] 이에 대한 여러 연구가 진행되었는데, 베체트병 환자의 호중구는 주화성(chemotaxis), 과산화물의 생성 및 부착 분자(adhesion molecule)의 발현이 증가되는 등 정상인에 비해 과반응성을 보이고, 이로 인해 조직손상을 유발해 베체트병의 병인에 중요한 역할을 한다고 알려져 있는데[3,4], 이러한 호중구의 과반응성은 부분적으로 유전적인 소인과 면역학적 이상에 의해 결정된다고 한다[127].

Takeno 등[60]은 HLA-B51 양성인 베체트병 환자, HLA-B51 양성인 건강인 및 HLA-B*5101 heavy chain 트랜스제닉 마우스의 호중구에서 과산화물의 생성이 증가되어 HLA-B51이 호중구의 과반응성에 어느 정도 기여함을 증명하였다. 활성화된 T 세포, 대식세포 등 여러 면역세포에서 분비되는 TNF-α, IL-1, IL-6, 및 IL-8 등 싸이토카인의 증가가 호중구 과반응성을 유발할 것으로 추정되고 있고[128], 호중구 자체에서 T helper (Th 1) 면역반응에 중추적인 역할을 하는 IL-12와 IL-18을 생성할 수 있으며, LPS로 자극하는 경우 TNF-α의 생성이 증가된다고 한다[3]. 최근 Eksioglu-Demiralp 등[129]은 베체트병 환자에서 fMLP로 자극 후 호중구의 자극 지수(stimulation index)가 감소하여 베체트병의 호중구는 이미 항원에 자극되어 있음을 증명하였으며(primed state), 호중구 주화성이나 활성화에 관련된 CD10과 CD14의 발현이 증가됨을 보고하였다.

2) T 세포 면역반응의 이상(Aberrations in T-cell mediated immune reaction)

T 세포 면역 반응의 이상이 베체트병의 병인에 중요한 역할을 하며, 침범된 여러 장기의 혈관 주변에는 다량의 T 세포가 침윤되어 있는 것은 잘 알려져 있다[3,4]. 특히 활동기 베체트병 환자의 말초혈액에 γδ T 세포가 현저히 증가되어 있고[130-133], γδ T 세포는 미코박테륨 65-kD HSPs에 특이적으로 반응하며[134], 이러한 γδ T 세포는 TNF-α와 interferon (IFN)-γ 같은 Th-1 유형의 싸이토카인을 분비하여 베체트병의 염증 반응을 유발하는데 중요한 역할을 하는 것으로 알려져 있다[135].

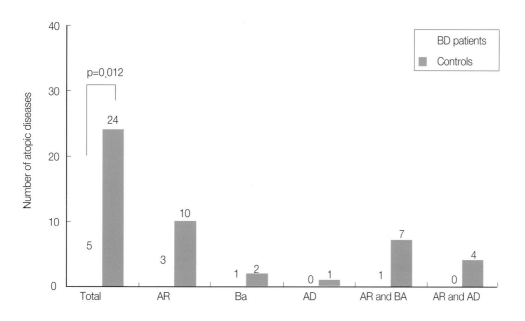

그림 4. 베체트병 환자와 건강대조군에서 아토피성 질환의 빈도

베체트병 21.4%, 건강대조군 7.2%; BD: Behcet's disease; AR: allergic rhinitis; BA: bronchial asthma; AD: atopic dermatitis. Reprinted from Chang HK et al. Clin Exp Rheumatol 2003; 21(Suppl 30): S31-4.

또한 활동기 베체트병 환자에서 Th-1 유형의 IL-2와 IFN-γ같은 싸이토카인의 T 세포 세포질 내 발현이 증가되어 있고[136,137], Th-1 유형의 T 세포로 분화되는데 중요한 역할을 하는 IL-12가 혈청 내 현저히 증가되어 있으며, 면역억제 치료 후 Th-1 유형의 세포수가 감소하여[137], Th-1 유형의 싸이토카인이 베체트병의 염증 반응에 중요한 역할을 한다는 것을 알 수 있다. 그리고 베체트병 환자에서 Th-2 유형의 싸이토카인이 병인에 중요한 역할을 하는 아토피(atopy)와 아토피성 질환(atopic diseases)의 빈도가 현저히 감소한다고 보고되었는데(그림 4)[138], 이 역시 베체트병의 병인에 Th-1 유형의 싸이토카인이 관여함을 간접적으로 시사한다.

여러 항원이 베체트병 환자의 T 세포 증식 반응을 유발할 수 있다고 알려졌는데, Kaneko 등[123]은 인간 60-kD HSPs 중 336-351 펩타이드에 반응하는 CD4+ T 세포의 올리고클론 팽창(oligoclonal expansion) 및 336-351 펩타이드와 T 세포의 증식 반응은 베체트병의 안구 증상과 연관이 있음을 발견하였고, 또한 베체트병 환자의 T 세포를 연쇄상구균 항원으로 자극하는 경우 IL-6, IFN-γ 및 호중구 강화 인자들(neutrophil potentiating factors)의 생성이 증가됨도 보고되었다[139,140]. Kurhan-Yavuz 등[141]은 망막 S 항원 및 포도막염과 관련된 HLA 항원(HLA-B51과 B27)과 같은 염기서열을 갖는 합성 펩타이드인 B27PD에 대한 T 세포 증식반응이 항진되어 있고, IL-2 및 TNF-α 생성의 증가를 증명하여, 자가 항원에 대한 면역반응이 베체트병의 병인에 중요한 역할을 할 것이라고 주장하였다. 또한 베체트병 환자의 T 세포는 초항원(superantigen)으로 작용하는 포도상구균 장독소(enterotoxin)의 적은 양에도 IFN-γ를 생성할 수 있어 T 세포의 면역반응은 특정항원에만 국한되지 않았음이 증명되고 있다[142].

3) B 세포 면역반응의 이상과 자가항체
(Aberrations in B-cell mediated immune reaction and autoantibodies)

T 세포 면역반응이 베체트병의 염증 반응에 밀접하게 관여하는 것과는 달리, B 세포 면역반응의 이상이 베체트병의 병인에 관여할 것이라는 직접적인 증거는 없으나, 활동기 환자에서 면역글로불린를 분비하는 B 세포 및 활성화된 memory B 세포의 증가가 보고되고 있다[3,4].

베체트병과 자가면역 질환(Behcet's disease and autoimmune disease): 베체트병이 자가면역 질환인지에 대해서 많은 논란이 있는데, 터키의 Yazici[143]는 베체트병은 남자에 심한 질환이 잘 발생하고, 쇼그렌 증후군 등 다른 자가면역 질환과의 연관성 및 자가면역 질환과 관련 있는 HLA-DR 대립유전자와 연관성이 없으며, 항핵항체나 류마티스 인자 등 자가항체가 없고, B 세포 기능항진 및 T 세포의 기능저하 등이 발견되지 않아 전형적인 자가면역 질환과는 많은 차이가 있다고 주장하였다. 그러나 베체트병 환자에서도 여러 자가항체들이 보고되고 있으며, 이러한 항체들이 병인과 직접적인 연관성이 있는지에 대해서는 아직 확실하지 않다.

항내피세포 항체(antiendothelial cell antibody, AECA)는 혈관염이나 혈전증을 유발할 수 있는 여러 결체조직 질환에서 검출되는데, 베체트병 환자에서도 18-50% 가량에서 보고되고 있고, 혈전 형성이나 혈관염 및 질병의 활성도와 관련이 있다고 알려져 있다[144,145]. 최근 국내 연구진에 의해 40명의 베체트병 환자 중 18명(45%)에서 혈관벽의 α-enolase에 의한 IgM AECA가 검출되었는데[146], α-enolase가 베체트병의 병인에 관련된 직접적인 항원인지는 좀 더 연구가 필요할 것으로 생각된다. Mor 등[147]은 베체트병 환자에서 α-tropomyosin에 대한 자가항체를 발견하고, α-tropomyosin을 Lewis rats에 주입하는 경우 전방 포도막염이나 염증성 피부질환을 유발한다고 보고하였으며, Krause 등[148]은 크론씨 병에 특이한 항체로 알려진 *Saccharomyces cerevisiae*에 대한 항체를 베체트병 환자의 48%에서 검출하였다고 하였다. 또한 CTLA-4에 대한 항체가 베체트병 환자의 31.8%에서 양성이며, 이 항체가 있는 환자에서 포도막염이 적게 발생한다고 보고되기도 하였다[149].

4. 조직학적 소견(Histological findings)

구강 궤양, 음부 궤양, 피부 병변, 포도막염, 장 궤양, 및 중추신경계 병변 등 베체트병 병소의 조직학적인 특징은 혈관염(vasculitis)이다. 손상된 혈관에는 혈전으로 막혀있는 것이 흔한 소견인데 이는 부분적으로 혈관내피세포와 혈소판의 활성화와 관련 있을 것으로 추정된다. 페설지 반응 부위의 농포나 다른 활동성 병변의 조직학적인 소견은 많은 호중구의 침윤, 혈관내피 세포의 부종, 및 혈관 주위 염증 세포들의 침윤 등을 볼 수 있고 때로 섬유소성 괴사(fibrinoid necrosis)를 동반할 수 있다[1,2].

5. 기타

1) 응고장애 (Coagulation abnormalities)

베체트병의 조직학적인 기본 병변은 혈관염으로 다양한 크기의 혈관을 침범하며, 특히 정맥을 잘 침범하는 것으로 알려졌다. 많게는 환자의 25-30%까지 정맥의 혈전 형성(thrombus formation)이 합병하는 것으로 보고되고 있는데, 이러한 혈전 형성의 확실한 원인은 알려지지 않고 있으나 혈관 내피세포의 이상이 관여하는 것으로 생각되고 있다[1-3]. 위에 기술한 바와 같이 factor V Leiden과 프로트롬빈 유전자 다형성이 베체트병의 혈전 형성과 연관이 있는지는 연구자에 따라 다르게 보고되고 있다. 프라스미노겐(plasminogen), protein C, protein S, 및 항트롬빈(antithrombin) 등은 베체트병의 혈전 형성과 관련이 없으며[150,151], 동맥경화증 및 혈전증의 위험인자로 알려진 고호모시스테인혈증(hyperhomocysteinemia)이 베체트병의 혈전 형성에 기여하는 지는 보고자마다 다른 결과를 보여주고 있다[152,153]. 또한 항 cardiolipin 항체가 베체트병 환자에서 건강인 보다 많이 검출되는 지에 관해서도 연구자에 따라 다른 결과가 보고되고 있는데, 일반적으로 베체트병 환자에서 검출되는 항 cardiolipin 항체는 혈전증과는 관련이 없다고 알려져 있다[154,155].

2) 혈관내피 기능 이상(Endothelial dysfunction)

베체트병 병변의 기본 병리학적 소견이 혈관염이며, 상당수의 환자에서 중요한 혈관이 침범되는데 이러한 혈관 병변의 원인에 대해서는 아직 확실히 밝혀지지 않았다. 여러 연구자들이 베체트병 환자에서 응고와 섬유소용해에 관여하는 시스템이 활성화되어 혈관내피 세포의 기능이상과 손상이 있음을 보고하였고[155-157], Chambers 등은 상완동맥 혈류-매개성 혈관확장(brachial artery flow-mediated vasodilation)이 베체트병 환자에서 저하되어 있고 혈관내피에 기능 이상이 있음을 간접적으로 보여주었으며, 비타민 C를 투여하니 혈류-매개성 혈관확장이 증가되어 혈관내피 기능 이상이 호전됨을 증명하여 베체트병 치료에 비타민 C의 가능성을 보고하였다[158]. 또한 혈류-매개성 혈관확장은 주로 혈관내피의 산화 질소(nitric oxide)의 생성에 의해 결정되기 때문에[159] 혈류-매개성 혈관확장의 장애는 혈관내피 산화질소 생성의 감소가 있음을 암시하며, 최근 혈관내피 산화질소의 생성과 관련있을 수 있는 eNOS 유전자 다형성이 베체트병의 감수성과 관련이 있다고 보고되었다[90,91]. 이러한 소견들은 혈관내피 기능 이상이 베체트병 혈관 병변의 발생에 역할을 할 것이라는 것을 시사한다.

또한 Chang 등은 급만성 염증반응이 혈관내피 기능이상을 유발할 수 있고, 최근에 염증반응이 심혈관계 질환 발생의 중요한 위험요인이라고 보고되었기 때문에, 베체트병과 관련된 염증반응이 혈관내피 기능이상을 초래하고 이어서 베체트병의 혈관손상과 동맥 경직(arterial stiffness)을 유발할 것으로 추정되어 베체트병 환자의 중심 동맥과 말초 동맥에서 pulse wave velocity (PWV)를 측정하니, 중심 동맥과 말초 동맥 모두에서 PWV가 대조군에 비해 의미있게 증가되어 있다고 보고하였다(표 2)(참조: PWV는 동맥 경직을 나타내는 이상적인 지표이며 동맥 경직을 PWV로 측정하여 동맥경화증이나 심혈관계 질환을 예측하는데 이용하고 있다)[160].

표 2. 베체트병 환자군과 건강대조군간에 데모그라픽 데이터와 심혈관 지표의 비교

	Behcet' s group (n = 53)	Controls (n = 65)	p Value
Age (yrs)	38.1 ± 8.1	38.2 ± 8.0	NS
Men (% of total)	50.9	49.2	NS
Height (cm)	164.7 ± 8.5	163.8 ± 8.2	NS
Body mass index	22.1 ± 2.9	22.7 ± 2.7	NS
Systolic blood pressure (mmHg)	119.2 ± 11.1	117.2 ± 9.6	NS
Diastolic blood pressure (mmHg)	73.8 ± 8.3	72.5 ± 7.9	NS
Mean blood pressure (mmHg)	90.9 ± 9.0	88.4 ± 8.1	NS
Pulse pressure (mmHg)	45.4 ± 8.0	46.3 ± 6.1	NS
Heart rate (bpm)	65.2 ± 7.8	65.5 ± 9.9	NS
Smoker (% of total)	15.1	13.8	NS
Serum glucose (mg/dL)	85.3 ± 8.3	85.8 ± 9.9	NS
Serum total cholesterol (mg/dL)	163.4 ± 31.7	171.1 ± 22.1	NS
Serum triglyceride (mg/dL)	103.2 ± 52.2	99.7 ± 48.3	NS
Clincal features			
Oral ulcerations	53/53 (100%)		
Genital ulcerations	32/53 (60.4%)		
Erythema nodosum	21/53 (39.4%)		
Papulopustular lesions	44/53 (83.0%)		
Positive pathergy reaction	28/53 (52.8%)		
Ocular lesions	12/53 (22.6%)		
Intestinal lesions	6/53 (11.3%)		
Peripheral arthritis	14/53 (26.4%)		
Vascular lesions	9/53 (17.0%)		
CNS lesions	2/53 (3.8%)		
Positive HLA-B51	22/53 (42.3%)		
Active disease	16/53 (30.2%)		
Severe disease	19/53 (35.8%)		
Immunosuppressive agents	15/53 (28.3%)		
Azathioprine	10/53 (18.9%)		
Cyclosporine	5/53 (9.4%)		
Corticosteroids	38/53 (71.7%)		
Pulse wave velocity (m/s)			
Heart-femoral	7.9 ± 1.1	7.2 ± 0.6	〈 0.001
Heart-carotid	6.8 ± 1.5	6.2 ± 1.0	0.035
Heart-brachial	5.4 ± 0.7	.1 ± 0.6	0.004
Femoral-ankle	10.4 ± 1.3	10.0 ± 0.9	0.034

NS: non-significant; reprinted from Chang HK et al. Ann Rheu Dis (in press).

Genetic factors

Major gene
  HLA-B51
Other MHC genes
  MICA, TNF gene polymorphism
Non-MHC genes
  IL-1 gene cluster polymorphism
  ICAM-1 gene polymorphism
  eNOS gene polymorphism
  IL-6 gene polymorphism

Microbial agents
Herpes simplex virus
Streptococcus sanguis
Molecular mimicry through
  crossreactivity between
  microbial 65-kD and
  human 60-kD HSPs

Immunological abnormalities

Neutrophil phyperfunction : increased
  chemotaxis and superoxide generation,
  enhanced adhesion molecule expression,
  and increased production of TNF-α, IL-12
  and IL-18
T cell, pariculary $\gamma\delta$ T cell : increased
  production of Th-1 type cytokines,
  including TNF-α and IFN-γ
B cell and autoantibodies (?)
  AECA targeting α- enolase

그림 5. 베체트병의 병인

MICA, MHC class I chain-related gene A; TNF, tumor necrosis factor; IL, interleukin; ICAM, intercellular adhesion molecule; eNOS, endothelial nitric oxide synthase; HSP, heat shock protein; Th, T helper; IFN, interferon; AECA, antiendothelial cell antibody (장현규. 대한류마티스학회지 2004; 11: 193-204).

6. 결론

베체트병은 여러 장기를 침범하는 만성 염증성 질환으로 여러 장기의 병변의 기본적인 조직학적인 소견이 혈관염이기 때문에 흔히 혈관염으로 분류된다. 정확한 병인은 완전히 알려지지는 않았으나, 유전적인 소인이 있는 환자에서 감염과 같은 환경적인 요인이 면역 기능에 이상을 초래하여 베체트병의 다양한 임상 증상이 발생하는 것으로 알려져 있다. 최근 베체트병의 병인에 대한 많은 연구가 이루어졌는데, HLA-B51 외에도 다른 MHC 유전자나 non-MHC 유전자들이 베체트병의 감수성에 관여한다고 알려져 있으며, 세균의 65-kD HSPs과 인간의 60-kD HSPs의 교차반응으로 T 세포, 특히 $\gamma\delta$ T세포가 활성화되고 Th-1 싸이토카인들이 분비되어 베체트병의 염증 반응을 유발한다고 하며, 유전적인 요인과 여러 싸이토카인에 의해 유발된 호중구의 과반응성도 베체트병의 여러 증상과 관련이 있을 것으로 생각된다(그림 5).

 참고문헌

1. Sakane T, Takeno M, Suzuki N, Inaba G. Behcet's disease. N Engl J Med 1999; 341: 1284-91.

2. Kaklamani VG, Vaiopoulos G, Kaklamanis PG. Behcet's Disease. Semin Arthritis Rheum 1998; 27: 197-217.

3. Gul A. Behcet's disease: an update on the pathogenesis. Clin Exp Rheumatol 2001; 19(Suppl 24): S6-12.

4. Direskeneli H. Behcet's disease: infectious aetiology, new autoantigens, and HLA-B51. Ann Rheum Dis 2001; 60: 996-1002.

5. Arayssi T, Hamdan A. New insights into the pathogenesis and therapy of Behcet's disease. Curr Opin Pharmacol 2004; 4: 183-8.

6. 장현규. 베체트병 병인의 최신 지견. 대한류마티스학회지 2004; 11: 193-204.

7. Verity DH, Marr JE, Ohno S, Wallace GR, Stanford MR. Behcet's disease, the Silk Road and HLA-B51: historical and geographical perspectives. Tissue Antigens 1999; 54: 213-20.

8. Ohno S, Ohguchi M, Hirose S, Matsuda H, Wakisaka A, Aizawa M. Close association of HLA-Bw51 with Behcet's disease. Arch Ophthalmol 1982; 100: 1455-8.

9. Chang HK, Kim JW. The clinical features of Behcet's disease in Yongdong districts: analysis of a cohort followed from 1997 to 2001. J Korean Med Sci 2002; 17: 784-9.

10. Zouboulis CC, Kotter I, Djawari D, et al. Epidemiological features of Adamantiades-Behcet's disease in Germany and in Europe. Yonsei Med J 1997; 38: 411-22.

11. 장현규, 김정욱. 가족성 베체트병의 HLA 항원에 관한 연구. 대한류마티스학회지 2000; 7: 20-5.

12. Bang D, Yoon KH, Chung HG, Choi EH, Lee ES, Lee S. Epidemiological and clinical features of Behcet's disease in Korea. Yonsei Med J 1997; 38: 428-36.

13. Kone-Paut I, Geisler I, Wechsler B, et al. Familial aggregation in Behcet's disease: high frequency in siblings and parents of pediatric probands. J Pediatr 1999; 135: 89-93.

14. Gul A, Inanc M, Ocal L, Aral O, Konice M. Familial aggregation of Behcet's disease in Turkey. Ann Rheum Dis 2000; 59: 622-5.

15. Chang HK. Update on the molecular genetic studies of Behcet's disease. Curr Rheumatol Rev 2005; 1:213-21.

16. Ohno S, Aoki K, Sugiura S, Nakayama E, Itakura K. HL-A5 and Behcet's disease. Lancet 1973; 2: 1383-4.

17. Ohno S, Nakayama E, Sugiura S, Itakura K, Aoki K. Specific histocompatibility antigens associated with Behcet's disease. Am J Ophthalmol. 1975; 80: 636-41.

18. Ohno S, Asanuma T, Sugiura S, Wakisaka A, Aizawa M, Itakura K. HLA-Bw51 and Behcet's disease. JAMA 1978; 240: 529.

19. Mizuki N, Inoko H, Mizuki N, et al. Human leukocyte antigen serologic and DNA typing of Behcet's disease and its primary association with B51. Invest Ophthalmol Vis Sci 1992; 33: 3332-40.

20. Mizuki N, Ota M, Katsuyama Y, et al. Association analysis between the MIC-A and HLA-B alleles in Japanese patients with Behcet's disease. Arthritis Rheum 1999; 42: 1961-6.

21. Lee S, Koh YJ, Kim DH, et al. A study of HLA antigens in Behcet's syndrome. Yonsei Med J 1988; 29: 259-62.

22. Chang HK, Kim JU, Cheon KS, Chung HR, Lee KW, Lee IH. HLA-B51 and its allelic types in association with Behcet's disease and recurrent aphthous stomatitis in Korea. Clin Exp Rheumatol 2001; 19(Suppl 24): S31-5.

23. Mineshita S, Tian D, Wang LM, et al. Histocompatibility antigens associated with Behcet's disease in northern Han Chinese. Intern Med 1992; 31: 1073-5.

24. Chung YM, Tsai ST, Liao F, Liu JH. A genetic study of Behcet's disease in Taiwan Chinese. Tissue Antigens 1987; 30: 68-72.

25. Yazici H, Akokan G, Yalcin B, Muftuoglu A. The high prevalence of HLA-B5 in Behcet's disease. Clin Exp Immunol 1977; 30: 259-61.

26. Ersoy F, Berkel I, Firat T, Kazokoglu H. HLA antigens associated with Behcet's disease. Arch Dermatol 1977; 113: 1720-1.

27. Yazici H, Chamberlain MA, Schreuder I, D'Amaro J, Muftuoglu M. HLA antigens in Behcet's disease: a reappraisal by a comparative study of Turkish and British patients. Ann Rheum Dis 1980; 39: 344-8.

28. Muftuoglu AU, Yazici H, Yurdakul S, et al. Behcet's disease: lack of correlation of clinical manifestations with HLA antigens. Tissue Antigens 1981; 17: 226-30.

29. Gul A, Uyar FA, Inanc M, et al. Lack of association of HLA-B*51 with a severe disease course in Behcet's disease. Rheumatology 2001; 40: 668-72.

30. Brautbar C, Chajek T, Ben-Tuvia S, Lamm L, Cohen T. A genetic study of Behcet disease in Israel.

Tissue Antigens 1978; 11: 113-20.

31. Chajek-Shaul T, Pisanty S, Knobler H, et al. HLA-B51 may serve as an immunogenetic marker for a subgroup of patients with Behcet's syndrome. Am J Med 1987; 83: 666-72.

32. Arber N, Klein T, Meiner Z, Pras E, Weinberger A. Close association of HLA-B51 and B52 in Israeli patients with Behcet's syndrome. Ann Rheum Dis 1991; 50: 351-3.

33. Verity DH, Wallace GR, Vaughan RW, et al. HLA and tumour necrosis factor (TNF) polymorphisms in ocular Behcet's disease. Tissue Antigens 1999; 54: 264-72.

34. Mizuki N, Ota M, Katsuyama Y, et al. HLA class I genotyping including HLA-B*51 allele typing in the Iranian patients with Behcet's disease. Tissue Antigens 2001; 57: 457-62.

35. Al-Rawi ZS, Sharquie KE, Khalifa SJ, Al-Hadithi FM, Munir JJ. Behcet's disease in Iraqi patients. Ann Rheum Dis 1986; 45: 987-90.

36. Baricordi OR, Sensi A, Pivetti-Pezzi P, et al. Behcet's disease associated with HLA-B51 and DRw52 antigens in Italians. Hum Immunol 1986; 17: 297-301.

37. Kera J, Mizuki N, Ota M, et al. Significant associations of HLA-B*5101 and B*5108, and lack of association of class II alleles with Behcet's disease in Italian patients. Tissue Antigens 1999; 54: 565-71.

38. Salvarani C, Boiardi L, Mantovani V, et al. Association of MICA alleles and HLA-B51 in Italian patients with Behcet's disease. J Rheumatol 2001; 28: 1867-70.

39. Zervas J, Vayopoulos G, Sakellaropoulos N, Kaklamanis P, Fessas P. HLA antigens and Adamantiades-Behcet's disease (A-BD) in Greeks. Clin Exp Rheumatol 1988; 6: 277-80.

40. Mizuki N, Ohno S, Ando H, et al. A strong association between HLA-B*5101 and Behcet's disease in Greek patients. Tissue Antigens 1997; 50: 57-60.

41. Koumantaki Y, Stavropoulos C, Spyropoulou M, et al. HLA-B*5101 in Greek patients with Behcet's disease. Hum Immunol 1998; 59: 250-5.

42. Gonzalez-Escribano MF, Rodriguez MR, Walter K, Sanchez-Roman J, Garcia-Lozano JR, Nunez-Roldan A. Association of HLA-B51 subtypes and Behcet's disease in Spain. Tissue Antigens 1998; 52: 78-80.

43. Kotter I, Gunaydin I, Stubiger N, et al. Comparative analysis of the association of HLA-B*51 suballeles with Behcet's disease in patients of German and Turkish origin. Tissue Antigens 2001; 58: 166-70.

44. Choukri F, Chakib A, Himmich H, Hue S, Caillat-Zucman S. HLA-B*51 and B*15 alleles confer predisposition to Behcet's disease in Moroccan patients. Hum Immunol 2001; 62: 180-5.

45. Ben Ahmed M, Houman H, Abdelhak S, et al. MICA transmembrane region polymorphism and HLA B51 in Tunisian Behcet's disease patients. Adv Exp Med Biol 2003; 528: 225-8.

46. Lavalle C, Alarcon-Segovia D, Del Giudice-Knipping JA, Fraga A. Association of Behcet's syndrome

with HLA-B5 in the Mexican mestizo population. J Rheumatol 1981; 8: 325-7.

47. Marin ML, Savioli CR, Yamamoto JH, Kalil J, Goldberg AC. MICA polymorphism in a sample of the Sao Paulo population, Brazil. Eur J Immunogenet 2004; 31: 63-71.

48. Jung RT, Chalmers TM, Joysey VC. HLA in Behcet's disease. Lancet 1976; 1: 694.

49. Lehner T, Batchelor JR, Challacombe SJ, Kennedy L. An immunogenetic basis for the tissue involvement in Behcet's syndrome. Immunology 1979; 37: 895-900.

50. O'Duffy JD, Taswell HF, Elveback LR. HL-A antigens in Behcet's disease. J Rheumatol 1976; 3: 1-3.

51. Ohno S, Char DH, Kimura SJ, et al. Studies on HLA antigens in American patients with Behcet's disease. Jpn J Ophthalmol 1978; 22: 58-61.

52. Ahmad T, Wallace GR, James T, et al. Mapping the HLA association in Behcet's disease: a role for tumor necrosis factor polymorphisms? Arthritis Rheum 2003; 48: 807-13.

53. Dick HM. In: Bodmer WF, Batchelor JR, Bodmer JG, et al. Eds, Histocompatibility Testing 1977. Copenhagen, Munksgaard. 1978; 157-204.

54. Falk K, Rotzschke O, Takiguchi M, et al. Peptide motifs of HLA-B51, -B52 and -B78 molecules, and implications for Behcet's disease. Int Immunol 1995; 7: 223-8.

55. Mizuki N, Inoko H, Ohno S. Molecular genetics (HLA) of Behcet's disease. Yonsei Med J 1997; 38: 333-49.

56. Yabuki K, Ohno S, Mizuki N, et al. HLA class I and II typing of the patients with Behcet's disease in Saudi Arabia. Tissue Antigens 1999; 54: 273-7.

57. Mizuki N, Inoko H, Ando H, et al. Behcet's disease associated with one of the HLA-B51 subantigens, HLA-B* 5101. Am J Ophthalmol 1993; 116: 406-9.

58. Yamashita N. Hyperreactivity of neutrophils and abnormal T cell homeostasis: a new insight for pathogenesis of Behcet's disease. Int Rev Immunol 1997; 14: 11-9.

59. Sensi A, Gavioli R, Spisani S, et al. HLA B51 antigen associated with neutrophil hyper-reactivity. Dis Markers 1991; 9: 327-31.

60. Takeno M, Kariyone A, Yamashita N, et al. Excessive function of peripheral blood neutrophils from patients with Behcet's disease and from HLA-B51 transgenic mice. Arthritis Rheum 1995; 38: 426-33.

61. Nishiura K, Kotake S, Ichiishi A, Matsuda H. Familial occurrence of Behcet's disease. Jpn J Ophthalmol 1996; 40: 255-9.

62. Villanueva JL, Gonzalez-Dominguez J, Gonzalez-Fernandez R, Prada JL, Pena J, Solana R. HLA antigen familial study in complete Behcet's syndrome affecting three sisters. Ann Rheum Dis 1993; 52: 155-7.

63. Yurdakul S, Gunaydin I, Tuzun Y, et al. The prevalence of Behcet's syndrome in a rural area in northern Turkey. J Rheumatol 1988; 15: 820-2.

64. Soylu M, Ersoz TR, Erken E. The association between HLA B5 and ocular involvement in Behcet's disease in southern Turkey. Acta Ophthalmol 1992; 70: 786-9.

65. Sakamoto M, Akazawa K, Nishioka Y, Sanui H, Inomata H, Nose Y. Prognostic factors of vision in patients with Behcet disease. Ophthalmology 1995; 102: 317-21.

66. Gul A, Hajeer AH, Worthington J, Barrett JH, Ollier WE, Silman AJ. Evidence for linkage of the HLA-B locus in Behcet's disease, obtained using the transmission disequilibrium test. Arthritis Rheum 2001; 44: 239-40.

67. Bahram S, Bresnahan M, Geraghty DE, Spies T. A second lineage of mammalian major histocompatibility complex class I genes. Proc Natl Acad Sci U S A 1994; 91: 6259-63.

68. Groh V, Bahram S, Bauer S, Herman A, Beauchamp M, Spies T. Cell stress-regulated human major histocompatibility complex class I gene expressed in gastrointestinal epithelium. Proc Natl Acad Sci U S A 1996; 93: 12445-50.

69. Zwirner NW, Fernandez-Vina MA, Stastny P. MICA, a new polymorphic HLA-related antigen, is expressed mainly by keratinocytes, endothelial cells, and monocytes. Immunogenetics 1998; 47: 139-48.

70. Groh V, Steinle A, Bauer S, Spies T. Recognition of stress-induced MHC molecules by intestinal epithelial gammadelta T cells. Science 1998; 279: 1737-40.

71. Mizuki N, Ota M, Kimura M, et al. Triplet repeat polymorphism in the transmembrane region of the MICA gene: a strong association of six GCT repetitions with Behcet disease. Proc Natl Acad Sci U S A 1997; 94: 1298-303.

72. Ota M, Mizuki N, Katsuyama Y, et al. The critical region for Behcet disease in the human major histocompatibility complex is reduced to a 46-kb segment centromeric of HLA-B, by association analysis using refined microsatellite mapping. Am J Hum Genet 1999; 64: 1406-10.

73. Wallace GR, Verity DH, Delamaine LJ, et al. MIC-A allele profiles and HLA class I associations in Behcet's disease. Immunogenetics 1999; 49: 613-7.

74. Yabuki K, Mizuki N, Ota M, et al. Association of MICA gene and HLA-B*5101 with Behcet's disease in Greece. Invest Ophthalmol Vis Sci 1999; 40: 1921-6.

75. Cohen R, Metzger S, Nahir M, Chajek-Shaul T. Association of the MIC-A gene and HLA-B51 with Behcet's disease in Arabs and non-Ashkenazi Jews in Israel. Ann Rheum Dis 2002; 61: 157-60.

76. Hajeer AH, Hutchinson IV. Influence of TNFalpha gene polymorphisms on TNFalpha production and disease. Hum Immunol 2001; 62: 1191-9.

77. Evereklioglu C, Er H, Turkoz Y, Cekmen M. Serum levels of TNF-alpha, sIL-2R, IL-6, and IL-8 are increased and associated with elevated lipid peroxidation in patients with Behcet's disease. Mediators Inflamm 2002; 11: 87-93.

78. Turan B, Gallati H, Erdi H, Gurler A, Michel BA, Villiger PM. Systemic levels of the T cell regulatory cytokines IL-10 and IL-12 in Bechcet's disease; soluble TNFR-75 as a biological marker of disease activity. J Rheumatol 1997; 24: 128-32.

79. Yamashita N, Kaneoka H, Kaneko S, Takeno M, Oneda K, Koizumi H, et al. Role of gammadelta T lymphocytes in the development of Behcet's disease. Clin Exp Immunol 1997; 107: 241-7.

80. Mege JL, Dilsen N, Sanguedolce V, Gul A, Bongrand P, Roux H, et al. Overproduction of monocyte derived tumor necrosis factor alpha, interleukin (IL) 6, IL-8 and increased neutrophil superoxide generation in Behcet's disease. A comparative study with familial Mediterranean fever and healthy subjects. J Rheumatol 1993; 20: 1544-9.

81. Sfikakis PP. Behcet's disease: a new target for anti-tumour necrosis factor treatment. Ann Rheum Dis 2002; 61(Suppl 2): ii51-3.

82. Lee EB, Kim JY, Lee YJ, Park MH, Song YW. TNF and TNF receptor polymorphisms in Korean Behcet's disease patients. Hum Immunol 2003; 64: 614-20.

83. Sanz L, Gonzalez-Escribano F, de Pablo R, Nunez-Roldan A, Kreisler M, Vilches C. HLA-Cw*1602: a new susceptibility marker of Behcet's disease in southern Spain. Tissue Antigens 1998; 51: 111-4.

84. Gul A, Hajeer AH, Worthington J, Ollier WE, Silman AJ. Linkage mapping of a novel susceptibility locus for Behcet's disease to chromosome 6p22-23. Arthritis Rheum 2001; 44: 2693-6.

85. Karasneh J, Hajeer AH, Barrett J, Ollier WE, Thornhill M, Gul A. Association of specific interleukin 1 gene cluster polymorphisms with increased susceptibility for Behcet's disease. Rheumatology 2003; 42: 860-4.

86. Verity DH, Vaughan RW, Kondeatis E, Madanat W, Zureikat H, Fayyad F, et al. Intercellular adhesion molecule-1 gene polymorphisms in Behcet's disease. Eur J Immunogenet 2000; 27: 73-6.

87. Kim EH, Mok JW, Bang DS, Lee ES, Lee SN, Park KS. Intercellular adhesion molecule-1 polymorphisms in Korean patients with Behcet s disease. J Korean Med Sci 2003; 18: 415-8.

88. Boiardi L, Salvarani C, Casali B, Olivieri I, Ciancio G, Cantini F, et al. Intercellular adhesion molecule-1 gene polymorphisms in Behcet's Disease. J Rheumatol 2001; 28: 1283-7.

89. Wang XL, Wang J. Endothelial nitric oxide synthase gene sequence variations and vascular disease. Mol Genet Metab 2000; 70: 241-51.

90. Salvarani C, Boiardi L, Casali B, Olivieri I, Ciancio G, Cantini F, et al. Endothelial nitric oxide synthase gene polymorphisms in Behcet's disease. J Rheumatol 2002; 29: 535-40.

91 Kim JU, Chang HK, Lee SS, Kim JW, Kim KT, Lee SW, et al. Endothelial nitric oxide synthase gene polymorphisms in Behcet's disease and rheumatic diseases with vasculitis. Ann Rheum Dis 2003; 62: 1083-7.

92. Gul A, Ozbek U, Ozturk C, Inanc M, Konice M, Ozcelik T. Coagulation factor V gene mutation

increases the risk of venous thrombosis in behcet's disease. Br J Rheumatol 1996; 35: 1178-80.

93. Gul A, Aslantas AB, Tekinay T, Konice M, Ozcelik T. Procoagulant mutations and venous thrombosis in Behcet's disease. Rheumatology 1999; 38: 1298-9.

94. Gurgey A, Balta G, Boyvat A. Factor V Leiden mutation and PAI-1 gene 4G/5G genotype in thrombotic patients with Behcet's disease. Blood Coagul Fibrinolysis 2003; 14: 121-4.

95. Mammo L, Al-Dalaan A, Bahabri SS, Saour JN. Association of factor V Leiden with Behcet's disease. J Rheumatol 1997; 24: 2196-8.

96. Verity DH, Vaughan RW, Madanat W, Kondeatis E, Zureikat H, Fayyad F, et al. Factor V Leiden mutation is associated with ocular involvement in Behcet disease. Am J Ophthalmol 1999; 128: 352-6.

97. Silingardi M, Salvarani C, Boiardi L, Accardo P, Iorio A, Olivieri I, et al. Factor V Leiden and prothrombin gene G20210A mutations in Italian patients with Behcet's disease and deep vein thrombosis. Arthritis Rheum 2004; 51: 177-83.

98. Fishman D, Faulds G, Jeffery R, Mohamed-Ali V, Yudkin JS, Humphries S, et al. The effect of novel polymorphisms in the interleukin-6 (IL-6) gene on IL-6 transcription and plasma IL-6 levels, and an association with systemic-onset juvenile chronic arthritis. J Clin Invest 1998; 102: 1369-76.

99. Yamakawa Y, Sugita Y, Nagatani T, Takahashi S, Yamakawa T, Tanaka S, et al. Interleukin-6 (IL-6) in patients with Behcet's disease. J Dermatol Sci 1996; 11: 189-95.

100. Chang HK, Jang WC, Park SB, Han SM, Nam YH, Lee SS, et al. Association between interleukin-6 gene polymorphisms and Korean Behcet's disease. Ann Rheum Dis 2005; 64: 339-40.

101. Chang HK, Kim JU, Lee SS, Yoo DH. Lack of association between angiotensin converting enzyme gene polymorphism and Korean Behcet's disease. Ann Rheum Dis 2004; 63: 106-7.

102. Lee EB, Kim JY, Lee JC, Shin C, Bae YD, Choi HJ, et al. IL-8 and its receptor polymorphisms in Korean patients with Behcet's disease (abstract). Arthritis Rheum 2003; 48(Suppl 9): S624.

103. Chang HK, Kim JW, Jang WC, Park SB, Lee SS. IL-18 gene polymorphisms in Korean patients with Behcet's disease. Clin Exp Rheumatol (in press).

104. Ohno S, Char DH, Kimura SJ, O'Connor GR. Clinical observations in Behcet's disease. Jpn J Ophthalmol 1979; 23: 126-31.

105. Hirohata T, Kuratsune M, Nomura A, Jimi S. Prevalence of Behcet's syndrome in Hawaii. With particular reference to the comparison of the Japanese in Hawaii and Japan. Hawaii Med J 1975; 34: 244-6.

106. Behcet H. Über rezidivierende, aphthöse, durch ein Virus verursachte Geschwüre im Mund, am Auge und an den Genitalien. Dermatol Wochenschr 1937; 105: 1152-7.

107. Eglin RP, Lehner T, Subak-Sharpe JH. Detection of RNA complementary to herpes-simplex virus in mononuclear cells from patients with Behcet's syndrome and recurrent oral ulcers. Lancet 1982; 2:

1356-61.

108. Studd M, McCance DJ, Lehner T. Detection of HSV-1 DNA in patients with Behcet's syndrome and in patients with recurrent oral ulcers by the polymerase chain reaction. J Med Microbiol 1991; 34: 39-43.

109. Lee S, Bang D, Cho YH, Lee ES, Sohn S. Polymerase chain reaction reveals herpes simplex virus DNA in saliva of patients with Behcet's disease. Arch Dermatol Res 1996; 288: 179-83.

110. Hamzaoui K, Ayed K, Slim A, Hamza M, Touraine J. Natural killer cell activity, interferon-gamma and antibodies to herpes viruses in patients with Behcet's disease. Clin Exp Immunol 1990; 79: 28-34.

111. Tojo M, Zheng X, Yanagihori H, Oyama N, Takahashi K, Nakamura K, et al. Detection of herpes virus genomes in skin lesions from patients with Behcet's disease and other related inflammatory diseases. Acta Derm Venereol 2003; 83: 124-7.

112. Sohn S, Lee ES, Bang D, Lee S. Behcet's disease-like symptoms induced by the Herpes simplex virus in ICR mice. Eur J Dermatol 1998; 8: 21-3.

113. Sohn S, Bang D, Lee ES, Kwon HJ, Lee SI, Lee S. Experimental studies on the antiviral agent famciclovir in Behcet's disease symptoms in ICR mice. Br J Dermatol 2001; 145: 799-804.

114. Adamantiades B. Sur un cas d'iritis à hypopion récidivant. Ann Ocul (Paris) 1931; 168: 271-8.

115. Mizushima Y, Matsuda T, Hoshi K, Ohno S: Induction of Behcet's disease symptoms after dental treatment and streptococcal antigen skin test. J Rheumatol 1988; 15: 1029-30.

116. The Behcet's Disease Research Committee of Japan. Skin hypersensitivity to streptococcal antigens and the induction of systemic symptoms by the antigens in Behcet's disease--a multicenter study. The Behcet's Disease Research Committee of Japan. J Rheumatol 1989; 16: 506-11.

117. Isogai E, Isogai H, Yoshikawa K. Microbial ecology of oral flora in Behcet's disease. In: O'Duffy JD, Kokmen E, eds. Behcet's disease: Basic and Clinical aspects. p. 405-14, New York, Marcel Dekker, Inc., 1991.

118. Mizushima Y. Streptococcus and Behcet's disease. In: O'Duffy JD, Kokmen E, eds. Behcet's disease: Basic and Clinical aspects. p. 421-6, New York, Marcel Dekker, Inc., 1991.

119. Cooper C, Pippard EC, Sharp H, Wickham C, Chamberlain MA, Barker DJ. Is Behcet's disease triggered by childhood infection? Ann Rheum Dis 1989; 48: 421-3.

120. Chang HK, Lee JY. Behcet's disease developing in longstanding rheumatoid arthritis. Clin Exp Rheumatol 2003; 21(Suppl 30): S56.

121. Narikawa S, Suzuki Y, Takahashi M, Furukawa A, Sakane T, Mizushima Y. Streptococcus oralis previously identified as uncommon 'Streptococcus sanguis' in Behcet's disease. Arch Oral Biol 1995; 40: 685-90.

122. Pervin K, Childerstone A, Shinnick T, Mizushima Y, van der Zee R, Hasan A, et al. T cell epitope expression of mycobacterial and homologous human 65-kilodalton heat shock protein peptides in short term cell lines from patients with Behcet's disease. J Immunol 1993; 151: 2273-82.

123. Kaneko S, Suzuki N, Yamashita N, Nagafuchi H, Nakajima T, Wakisaka S, et al. Characterization of T cells specific for an epitope of human 60-kD heat shock protein (hsp) in patients with Behcet's disease (BD) in Japan. Clin Exp Immunol 1997; 108: 204-12.

124. Direskeneli H, Eksioglu-Demiralp E, Yavuz S, Ergun T, Shinnick T, Lehner T, et al. T cell responses to 60/65 kDa heat shock protein derived peptides in Turkish patients with Behcet's disease. J Rheumatol 2000; 27: 708-13.

125. Stanford MR, Kasp E, Whiston R, Hasan A, Todryk S, Shinnick T, et al. Heat shock protein peptides reactive in patients with Behcet's disease are uveitogenic in Lewis rats. Clin Exp Immunol 1994; 97: 226-31.

126. Stanford MR, Whittall T, Bergmeier LA, Lindblad M, Lundin S, Shinnick T, et al. Oral tolerization with peptide 336-351 linked to cholera toxin B subunit in preventing relapses of uveitis in Behcet's disease. Clin Exp Immunol 2004 ; 137: 201-8.

127. Yamashita N. Hyperreactivity of neutrophils and abnormal T cell homeostasis: a new insight for pathogenesis of Behcet's disease. Int Rev Immunol 1997; 14: 11-9.

128. Lloyd AR, Oppenheim JJ. Poly's lament: the neglected role of the polymorphonuclear neutrophil in the afferent limb of the immune response. Immunol Today 1992; 13: 169-72.

129. Eksioglu-Demiralp E, Direskeneli H, Kibaroglu A, Yavuz S, Ergun T, Akoglu T. Neutrophil activation in Behcet's disease. Clin Exp Rheumatol 2001; 19(Suppl 24): S19-24.

130. Fortune F, Walker J, Lehner T. The expression of gamma delta T cell receptor and the prevalence of primed, activated and IgA-bound T cells in Behcet's syndrome. Clin Exp Immunol 1990; 82: 326-32.

131. Suzuki Y, Hoshi K, Matsuda T, Mizushima Y. Increased peripheral blood gamma delta+ T cells and natural killer cells in Behcet's disease. J Rheumatol 1992; 19: 588-92.

132. Hamzaoui K, Hamzaoui A, Hentati F, Kahan A, Ayed K, Chabbou A, et al. Phenotype and functional profile of T cells expressing gamma delta receptor from patients with active Behcet's disease. J Rheumatol 1994; 21: 2301-6.

133. Bank I, Duvdevani M, Livneh A. Expansion of gammadelta T-cells in Behcet's disease: role of disease activity and microbial flora in oral ulcers. J Lab Clin Med 2003; 141: 33-40.

134. Hasan A, Fortune F, Wilson A, Warr K, Shinnick T, Mizushima Y, et al. Role of gamma delta T cells in pathogenesis and diagnosis of Behcet's disease. Lancet 1996; 347: 789-94.

135. Freysdottir J, Lau S, Fortune F. Gammadelta T cells in Behcet's disease (BD) and recurrent aphthous stomatitis (RAS). Clin Exp Immunol 1999; 118: 451-7.

136. Sugi-Ikai N, Nakazawa M, Nakamura S, Ohno S, Minami M. Increased frequencies of interleukin-2- and interferon-gamma-producing T cells in patients with active Behcet's disease. Invest Ophthalmol Vis Sci 1998; 39: 996-1004.

137. Frassanito MA, Dammacco R, Cafforio P, Dammacco F. Th1 polarization of the immune response in Behcet's disease: a putative pathogenetic role of interleukin-12. Arthritis Rheum 1999; 42: 1967-74.

138. Chang HK, Lee SS, Kim JW, Jee YK, Kim JU, Lee YW, et al. The prevalence of atopy and atopic diseases in Behcet's disease. Clin Exp Rheumatol 2003; 21(Suppl 30): S31-4.

139. Niwa Y, Mizushima Y. Neutrophil-potentiating factors released from stimulated lymphocytes; special reference to the increase in neutrophil-potentiating factors from streptococcus-stimulated lymphocytes of patients with Behcet's disease. Clin Exp Immunol 1990; 79: 353-60.

140. Hirohata S, Oka H, Mizushima Y. Streptococcal-related antigens stimulate production of IL6 and interferon-gamma by T cells from patients with Behcet's disease. Cell Immunol 1992; 140: 410-9.

141. Kurhan-Yavuz S, Direskeneli H, Bozkurt N, Ozyazgan Y, Bavbek T, Kazokoglu H, et al. Anti-MHC autoimmunity in Behcet's disease: T cell responses to an HLA-B-derived peptide cross-reactive with retinal-S antigen in patients with uveitis. Clin Exp Immunol 2000; 120: 162-6.

142. Hirohata S, Hashimoto T. Abnormal T cell responses to bacterial superantigens in Behcet's disease (BD). Clin Exp Immunol 1998; 112: 317-24.

143. Yazici H. The place of Behcet's syndrome among the autoimmune diseases. Int Rev Immunol 1997; 14: 1-10.

144. Aydintug AO, Tokgoz G, D'Cruz DP, Gurler A, Cervera R, Duzgun N, et al. Antibodies to endothelial cells in patients with Behcet's disease. Clin Immunol Immunopathol 1993; 67: 157-62.

145. Cervera R, Navarro M, Lopez-Soto A, Cid MC, Font J, Esparza J, et al. Antibodies to endothelial cells in Behcet's disease: cell-binding heterogeneity and association with clinical activity. Ann Rheum Dis 1994; 53: 265-7.

146. Lee KH, Chung HS, Kim HS, Oh SH, Ha MK, Baik JH, et al. Human alpha-enolase from endothelial cells as a target antigen of anti-endothelial cell antibody in Behcet's disease. Arthritis Rheum 2003; 48: 2025-35.

147. Mor F, Weinberger A, Cohen IR. Identification of alpha-tropomyosin as a target self-antigen in Behcet's syndrome. Eur J Immunol 2002; 32: 356-65.

148. Krause I, Monselise Y, Milo G, Weinberger A. Anti-Saccharomyces cerevisiae antibodies--a novel serologic marker for Behcet's disease. Clin Exp Rheumatol 2002; 20(Suppl 26): S21-4.

149. Matsui T, Kurokawa M, Kobata T, Oki S, Azuma M, Tohma S, et al. Autoantibodies to T cell costimulatory molecules in systemic autoimmune diseases. J Immunol 1999; 162: 4328-35.

150. Espinosa G, Font J, Tassies D, Vidaller A, Deulofeu R, Lopez-Soto A, et al. Vascular involvement in

Behcet's disease: relation with thrombophilic factors, coagulation activation, and thrombomodulin. Am J Med 2002; 112: 37-43.

151. Lee YJ, Kang SW, Yang JI, Choi YM, Sheen D, Lee EB, et al. Coagulation parameters and plasma total homocysteine levels in Behcet's disease. Thromb Res 2002; 106: 19-24.

152. Aksu K, Turgan N, Oksel F, Keser G, Ozmen D, Kitapcioglu G, et al. Hyperhomocysteinaemia in Behcet's disease. Rheumatology 2001; 40: 687-90.

153. Korkmaz C, Bozan B, Kosar M, Sahin F, Gulbas Z. Is there an association of plasma homocysteine levels with vascular involvement in patients with Behcet's syndrome? Clin Exp Rheumatol 2002; 20(Suppl 26): S30-4.

154. Tokay S, Direskeneli H, Yurdakul S, Akoglu T. Anticardiolipin antibodies in Behcet's disease: a reassessment. Rheumatology 2001; 40: 192-5.

155. Kang HJ, Lee YW, Han SH, Cho HC, Lee KM. Anticardiolipin and anti-beta2-glycoprotein I antibodies in Behcet's disease. J Korean Med Sci 1998; 13: 400-4.

155. Schmitz-Huebner U, Knop J. Evidence for an endothelial cell dysfunction in association with Behcet's disease. Thromb Res 1984; 34: 277-85.

156. Kansu E, Sahin G, Sahin F, Sivri B, Sayek I, Batman F. Impaired prostacyclin synthesis by vessel walls in Behcet's disease. Lancet 1986; 2: 1154.

157. Haznedaroglu IC, Ozcebe OI, Ozdemir O, Celik I, Dundar SV, Kirazli S. Impaired haemostatic kinetics and endothelial function in Behcet's disease. J Intern Med 1996; 240: 181-7.

158. Chambers JC, Haskard DO, Kooner JS. Vascular endothelial function and oxidative stress mechanisms in patients with Behcet's syndrome. J Am Coll Cardiol 2001; 37: 517-20.

159. Joannides R, Haefeli WE, Linder L, Richard V, Bakkali EH, Thuillez C, et al. Nitric oxide is responsible for flow-dependent dilatation of human peripheral conduit arteries in vivo. Circulation 1995; 91: 1314-9.

160. Chang HK, Kim SK, Lee SS, Rhee MY. Arterial stiffness in Behcet's disease: increased regional pulse wave values. Ann Rheum Dis (in press).

임상 증상
(Clincal features)

    베체트병의 임상 증상은 다양하고, 병의 중증도는 피부 점막 증상이나 관절염 등 경미한 증상만을 보이는 증례부터 심한 포도막염이나 주요 혈관을 침범하고, 뇌, 폐, 신장 및 심장 등 중요한 내부 장기에 증상이 발생하여 심각한 후유증을 동반하는 증례까지 환자마다 많은 차이가 있다[1,2]. 대부분의 환자는 호전과 악화가 반복되나 일반적으로 시간이 경과하면서 심한 정도는 감소되는 경향이 있고, 젊은 남자 환자에서 가장 심한 임상 경과를 갖는다[3,4].

    임상 증상은 지역적으로 많은 차이가 있다고 보고되고 있는데, 신생아나 소아에서 발병하는 경우는 드물며, 발병 연령은 중동이나 남부 유럽 등 지중해 연안에 위치한 나라에서 발병하는 환자는 20대 중반에 질병이 시작되는 경우가 많고 남자에 많이 발병하나 우리나라에서는 30대 중반에 가장 많이 질병이 시작되고 여자에서 2배 이상 많이 발병한다. 또한 중동 등 지중해 연안에 위치한 나라의 환자에 비해 국내 환자는 위장관을 침범하는 환자는 많은데 비해 안구나 주요한 혈관을 침범하는 환자나 폐설지 반응에서 양성을 보이는 환자의 빈도가 상대적으로 적다[1-3,6,7]. 그래서 국내 환자는 중동 지역 환자에 비해 발병 연령이 늦고 여자에 많이 발병하여 질병의 심한 정도가 중동 지역 환자보다는 덜한 것 같다[8]. 표 3은 영동 지역에 위치한 한 병원에서 4년 동안 베체트병으로 진단된 환자의 임상 양상을 정리한 것이며[5], 표 4는 이 연구와 국내의 다른 연구 결과을 터키, 독일 및 그리스 등으로부터 보고된 연구 결과들과 비교 정리한 것이다[2,6,9-13].

표 3. 베체트병 환자 임상 증상의 분포

Clinical features	No. of patients (%)
Oral ulceration	71 (97.3)
Genital ulceration	55 (75.3)
*EN-like lesion	38 (52.1)
+ PPL/pseudofolliculitis	42 (57.5)
Positive pathergy reaction	25 (34.2)
Peripheral arthritis	18 (24.7)
Ocular lesions	17 (23.3)
Gastrointestinal lesions	11 (15.1)
Vascular lesions	4 (5.5)
CNS lesions	3 (4.1)
Epididymitis	1 (1.4)
Pulmonary involvement	1 (1.4)

*EN: erythema nodosum; + PPL: papulopustular lesions; reprinted from Chang HK et al. J Korean Med Sci 2002; 17: 784-9.

표 4. 한국, 터키, 독일 및 그리스 베체트병 환자 임상 증상의 비교

Clinical features	1	2	3	4	5	6	7
Oral ulcers as initial Symptom (%)	86.3	NA	NA	78.5	86.5	66.0	64.0
Male/female ratio	0.52	0.57	0.61	0.63	1.03	1.5	1.9
Mean age at onset (years)	35.2	33.0	NA	20S	25.6	25.0	NA
Oral ulcers (%)	97.3	98.8	100	97.5	100	99	100
Genital ulcers (%)	75.3	83.2	71.1	56.7	88.2	74.5	78.0
*EN-like lesions (%)	52.1	84.3**	68.1	55.3	47.6	37.0	NC
+PPL/pseudofolliculitis (%)	57.5	84.3**	29.7	NC	54.2	50.8	NC
Positive PR (%)	34.2	15.4	47.3	NA	56.8	51.8	30.0
Arthritis (%)	24.7	38.4	NC	24.2	6.7	59	48
Ocular lesions (%)	23.3	50.9	30.7	28.5	28.9	58.9	75.0
GI lesions (%)	15.1	7.3	5.3	4.0	2.8	15.8	3.0
Vascular lesions (%)	5.5	1.8	10.5	NA	16.8	25.1	8.0
CNS lesions (%)	4.1	4.6	3.5	5.7	2.2	12.8	20.0
Epididymitis (%)	1.4	0.6	1.8	NA	NA	15.9	17.0

1, Chang et al[6] 2, Bang et al (multicenter study)[9] 3, Eun et al[10] 4, Bang et al[11] 5, Grler et al (Turkish study)[12] 6, Zouboulis et al (German study)[13] 7, Kaklamanis et al (Greek study)[2] NA, not available; NC, not clearly described; *EN, erythema nodosum; **, described as skin lesions; PPL, papulopustular lesions; reprinted from Chang HK et al. J Korean Med Sci 2002; 17: 784-9.

1. 피부 점막 병변(Mucocutaneous lesions)

1) 구강 궤양(Oral ulcerations)

환자의 60-80% 정도에서 구강 궤양이 베체트병의 처음으로 시작하는 증상이며, 일부에서는 피부 증상, 음부 궤양 또는 안구 증상이 먼저 시작하고 수년이 경과한 후 구강 증상 등이 발생할 수도 있다. 국내의 한 연구에 의하면 환자의 86.3%에서 구강 궤양이 초발 증상(initial manifestations)이었고, 음부 궤양 5.5%, 피부 증상 4.1% 안구 증상 2.7% 그리고 관절염 1.4%의 순으로 베체트병의 초발 증상이 나타났다[6]. 구강 궤양(그림 6-8)은 구강 점막, 혀, 잇몸, 및 입술 등 입안 어디나 생길 수 있으며, 편도나 인두에도 나타날 수 있다. 한 개 또는 여러 개가 생길 수 있는데 처음에는 융기된 발적으로 시작해서 점차 궤양이 발생하고 궤양의 주위는 부종이 동반될 수 있다. 크기는 2-10 mm 정도까지 커질 수 있으며 때로는 여러 개의 작은 헤르페스 모양(herpetiform) (그림 9)의 궤양이 나타날 수 있다. 궤양의 중심부는 흰색의 가성막으로 덮이는데 대부분 심한 통증으로 말하거나 음식을 섭취할 때 지장을 초래하고 심한 경우 전신 쇠약감을 동반할 수 있다. 대부분의 궤양은 흉터를 남기지 않고 1-2 주 후 낫는데 드물게 한 부위에 궤양이 반복해서 발생하면 반흔을 남길 수도 있다. 그림 10은 구인두(oropharynx) 부위에 큰 궤양이 반복적으로 발생하여 반흔을 남겨 구인두 부위가 좁아진 것을 볼 수 있다. 이러한 구강 궤양은 특징적으로 반복하여 생기는데 육체적으로 힘들거나 심리적으로 스트레스를 받는 경우 잘 재발하고, 일부 여자 환자에서 생리 주기와 일치하여 증상이 반복될 수도 있다[1-3,6].

구강 궤양은 가장 흔한 초발 증상이고 대부분의 환자에서 나타나는 베체트병의 가장 흔한 증상인데, 일반인의 10-20% 가량에서 볼 수 있는 반복성 아프타성 궤양(recurrent aphthous stomatitis)과 궤양의 모양이나 특성이 같아 동반되는 다른 증상을 제외하고는 구별할 수가 없다. 반복성 아프타성 궤양이 자주 재발하고 심한 경우 Jorizzo 등은 복합성 아프타증(complex aphthosis)이라고 하였고, 다른 증상이 없이 자주 반복하는 구강 궤양과 음부 궤양이 동반된 사람도 복합성 아프타증 범주에 포함시켰는데[14] 음부 궤양은 베체트병의 특징적인 임상 증상이어서 이런 환자를 경미한 베체트병 환자로 보는 것이 타당하다고 생각된다. 또한 베체트병 이외에도 구강 궤양을 동반할 수 있는 질환으로 크론씨병(Crohn's disease), 반응성 관절염(reactive arthritis), 전신성 홍반성 루푸스(systemic lupus erythematosus) 및 HIV 감염(AIDS) 등이 있는데, 크론씨병의 구강 궤양은 베체트병과 임상적으로나 조직학적으로 구분할 수 없어 동반된 다른 증상으로 감별하여야 하며, 반응성 관절염과 전신성 홍반성 루푸스에서 병발되는 구강 궤양은 일반적으로 통증을 동반하지 않는다. 전신성 홍반성 루푸스에서는 루푸스의 활동기에 구강 궤양이 발생할 수 있고 입천장(구

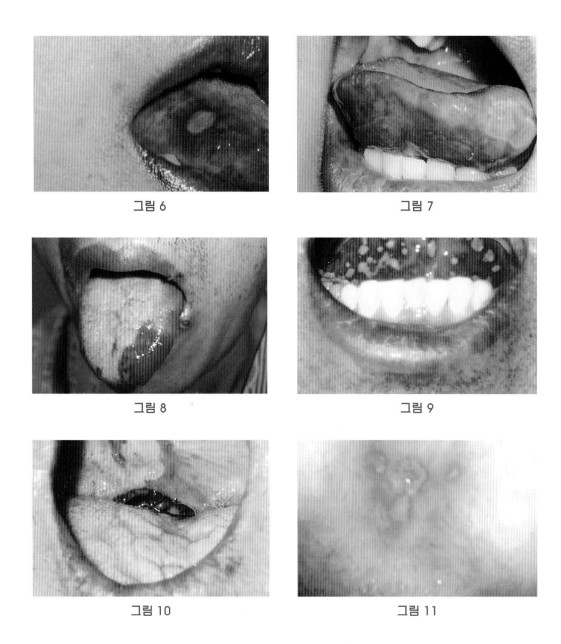

그림 6

그림 7

그림 8

그림 9

그림 10

그림 11

개)에 잘 발생하며(그림 11), 반응성 관절염의 경우에는 입천장과 혀의 배면에 불규칙한 경계를 가진 궤양이 생길 수 있다[15]. HIV 감염의 경우에는 구강 캔디다증(oral candidiasis), 털백색판증 (hairy leukoplakia), 및 아프타성 구강 궤양 등 구강내 병변이 발생할 수 있는데 아프타성 궤양의 경우에는 통증을 동반하며, 반복적으로 생길 수 있다.

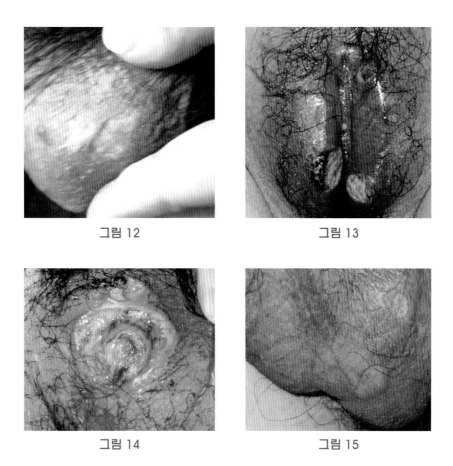

그림 12

그림 13

그림 14

그림 15

2) 음부 궤양(Genital ulcerations)

음부 궤양은 구강 궤양과 유사하며 재발하는 경향이 있으나 재발 빈도는 구강 궤양보다는 훨씬 적다. 환자의 70% 가량에서 발생하고 초발 증상인 경우는 드물며 대부분 구강 궤양이 발생한 후 생긴다. 또한 일반적으로 구강 궤양보다 더 크고 깊으며 오래 지속되고 자주 흉터를 남기면서 낫는다 (그림 12). 여자에서는 외음부(vulva), 질, 회음부(perineum) 및 자궁 경부 등에 생길 수 있는데 외음부에 가장 많이 발생하며(그림 13), 남자에서는 음낭, 음경 및 회음부에 생길 수 있는데 음낭(그림 14과 15)에 가장 호발한다[1-3,6]. 국내에서 발표된 연구에서도 유사한 결과를 보고하고 있다(표 5).

베체트병의 음부 궤양은 아주 특징적이어서 베체트병을 진단하는데 많은 도움이 되는 임상 소견으로 자세한 병력 청취와 면밀한 이학적 검사가 필수적인데, 실제 임상에서 과거에 베체트병이라고 진단된 환자들을 자세히 병력 청취하면 이러한 특징적인 병변이 아니고 음부에 발생한 염증

표 5. 55명의 베체트병 환자에서 음부 궤양의 위치

	Site	No, of patients(%)
Female	Vulva	38 (69,1)
	Vagina	7 (12,7)
	Perineum	3 (5,4)
	Cervix	1 (1,8)
Male	Scrotum	14 (25,5)
	Penis	5 (9,1)

Reprinted from Chang HK et al, J Korean Med Sci 2002; 17: 784-9.

성 질환이나 농포성 구진을 음부 궤양으로 간주해 베체트병으로 진단되는 경우가 자주 있어 주의 가 필요하다.

베체트병의 음부 궤양과 감별해야 될 질환으로는 작열감을 동반하고 그룹을 형성하는 수포병 변이 특징인 성기헤르페스(herpes genitalis), 1차 매독의 초기 병변인 경성하감(chancre) 과 *Hemophilus ducrei*에 의한 연성하감(chancroid) 등 남녀간의 성관계에 의해 전염되는 질환이 있 고, 그밖에 전신성 홍반성 루푸스나 반응성 관절염에서도 간혹 성기에 병변을 동반할 수 있는데 이 경우에는 대부분 통증이 없는 경우가 많다[16,17]. 음부 궤양과 감별이 필요한 질환에 대한 자세한 기술은 7장을 참조하기 바란다.

3) 피부 병변(Skin lesions)

베체트병에서 가장 흔한 피부 병변으로는 여자에서 비교적 흔한 결절성 홍반(erythema nodosum)과 남자에서 흔한 병변인 가성모낭염(pseudofolliculitis)과 구진농포성 병변 (papulopustular lesion) 또는 여드름양 결절(acneiform nodule)이 있는데, 결절성 홍반은 환자의 약 50% 가량에서 나타나며, 압통을 동반은 불그스름한 융기된 결절로 하지의 전면에 가장 호발하 나, 얼굴, 목, 상지, 및 둔부에도 생길 수 있다(그림 16, 17). 수주에 걸쳐 병변부위에 처음에는 거무 스름한 색소 침착(그림 18)이 되었다가 흉터를 남기지 않고 소실되며, 질병 활성도에 따라 여러 차례 재발된다[1-3,18]. 홍반성 결절을 유발하는 대표적인 원인으로는 약물(항생제, 피임제), 감염(결 핵, 연쇄상구균성 인두염), 전신 질환(유육종증, 전신성 홍반성 루푸스, 베체트병, 염증성 대장 질 환), 및 임신 등이 있는데[19], 베체트병에서 동반되는 결절성 홍반은 다른 원인에 의한 결절성 홍반 과 달리 조직 검사상 임파구성 혈관염(lymphocytic vasculitis)이나 백혈구파괴혈관염 (leukocytoclastic vasculitis)이 대부분에서 동반되어 조직학적으로 전형적인 결절성 홍반과는 다 르기 때문에[20] 결절성 홍반양 병변(erythema nodosum-like lesion)이라고 흔히 불린다. 그림 19는

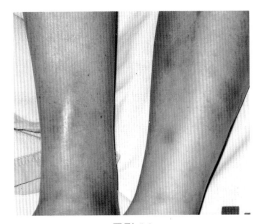

그림 16

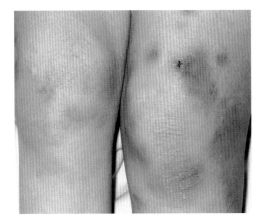

그림 17

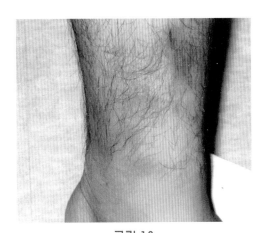

그림 18

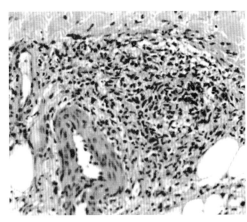

그림 19

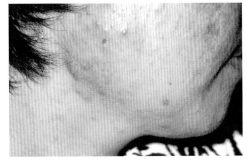

그림 20

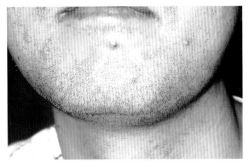

그림 21

베체트병의 결절성 홍반양 병변부위의 조직검사에서 임파구성 혈관염과 지방층염(panniculitis)의 소견을 볼 수 있다.

  가성모낭염, 구진농포성 병변 또는 여드름양 결절 등은 용어의 정의가 혼란스러워 임상적으로 명확히 구분 지어 설명하기가 쉽지 않다. 가성모낭염/구진농포성 병변(그림 20-22)은 환자의 약 50-60% 가량에서 볼 수 있는데[1,2,5,17] 환자들의 90% 이상에서 발견된다고 보고한 연구도 있다[21]. 한 환자가 결절성 홍반이나 가성모낭염/구진농포성 병변을 같이 갖는 경우가 흔하며, 얼굴, 두피, 목, 몸통, 상하지, 및 음부 주위에 잘 발생하고[1-3,6,18,21] 일반인에서 볼 수 있는 가성모낭염/구진농포성 병변과 차이가 없으나 베체트병 환자에서는 일반인에 비해 몸통, 상하지, 및 음부 주위에서 병변이 더 흔히 발생한다[21]. 베체트병 환자에서 볼 수 있는 여드름양 결절은 일반적인 여드름과 구분

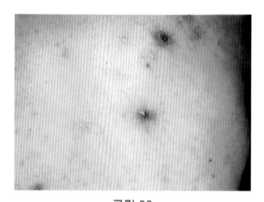

그림 22

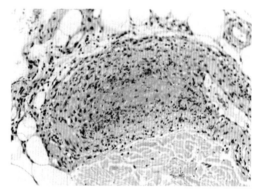

그림 23

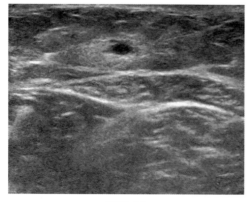

그림 24

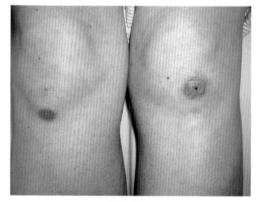

그림 25

이 거의 안되며, 베체트병의 국제 기준(International Study Group criteria)[22]에서는 사춘기나 부신 피질호르몬을 투여 중인 환자에서 이러한 병변이 발생한 경우는 제외하고 있다.

표재성 혈전정맥염(superficial thrombophlebitis)은 대부분 하지의 피하조직의 세정맥(venule)에 혈전 형성으로 인해 발생하는데 여자 환자보다 남자 환자에 더 흔하다. 병변 위에 위치한 피부에 발적이 발생하고, 압통을 동반한 피하 결절이나 혈관을 따라 염주 모양으로 결절이 형성되기도 하며, 결절성 홍반과 감별을 요한다[1-3,18]. 그림 23은 표재성 혈전정맥염이 있는 부위를 조직 검사하니 세정맥이 혈전으로 막혀있고 혈관벽에는 염증 세포가 침윤된 것을 보여주고 있으며, 결절성 홍반과 감별이 힘든 경우 피부 병변 부위의 초음파 검사가 진단에 많은 도움이 될 수 있는데, 그림 24는 대퇴부의 표재성 혈전정맥염이 있는 부위의 초음파 검사 소견으로 혈관은 혈전으로 막혀 있으면서 염증 반응으로 혈관벽이 두꺼워져 있는 것을 보여주고 있다. 그밖에 베체트병에서 드물게 볼 수 있는 피부 증상으로 다형 홍반양 병변(erythema multiforme-like syndrome)(그림 25), Sweet 증후군(Sweet syndrome) 및 괴저농피증(pyoderma gangrenosum) 등이 보고되고 있다[18].

4) 페설지 반응(Pathergy reaction)

페설지 반응은 단순 외상에 대한 피부의 과민반응으로 1937년 Blobner[23]에 의해 처음 기술된 이래 베체트병의 진단에 도움이 되는 현상으로 잘 알려졌으며, 1990년에 발표된 베체트병의 국제 기준 중의 하나가 되었다[22]. 검사방법은 생리식염수를 피내 주사(intradermal injection)하는 방법과 1회용 주사 바늘로 피부에 단자 검사(prick test)하는 방법이 있는데, 가장 보편화된 방법을 소개하면 20-22 gauge 일회용 주사 바늘(disposable needle)을 이용하여 전완(forearm)의 장측면(volar aspect)에 5mm 가량 결핵 반응 검사하듯이 피내에 밀어넣고 빼면서 가볍게 단자 검사를 시행하며 28-48시간 후 검사 부위에 구진(그림 26)이나 농포(그림 27)가 발생하면 페설지 반응 양성으로 판독한다. 병원에 입원하고 있는 환자에서는 채혈 부위나 정맥주사를 맞았던 부위를 유심히 살피면 진단에 많은 도움을 얻을 수 있는데, 특히 정맥주사를 맞은 부위는 비교적 장시간 바늘에 의해 자극을 받기 때문에 베체트병 환자에서 주사 부위에 농포가 형성되는 경우를 흔히 볼 수 있다(그림 28과 29). 그림 30은 슬관절 관절천자 후 주사 바늘 부위에 구진이 발생한 것을 보여주고 있다.

페설지 반응 양성률은 과거 주사 바늘을 재사용 할 때와 비교하면 일회용 주사 바늘을 사용하면서 감소되었다고 알려져 있다. 주사 바늘을 끓는 물에 소독하여 재사용하는 경우 주사 바늘 표면에 칼슘이 침착 됨으로 인해 검사시 피부에 더 많은 손상을 유발하여 검사 양성률이 증가된다고 한다. 이는 주사 바늘을 소독하여 재사용하던 시기로서 AIDS가 문제가 되기 전과 AIDS로 인해 일회용 주사 바늘을 사용하여 검사를 시행한 후 나온 결과들을 비교하면 알 수 있다. 또한 가는 바늘

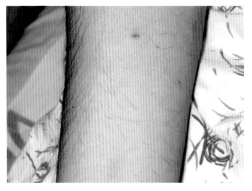

그림 26

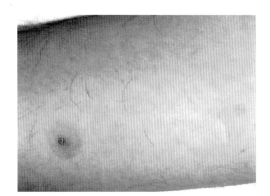

그림 27

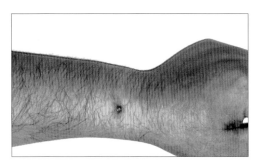

그림 28

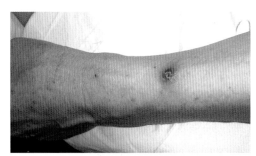

그림 29

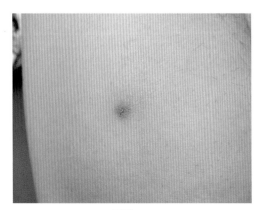

그림 30

을 사용하여 검사하는 것보다 굵은 바늘을 사용하는 경우 피부에 더 많은 손상을 주어 검사 양성률이 증가한다고 한다[24,25].

　　페설지 반응의 양성률은 인종에 따라 많은 차이가 있는데, 터키, 이란, 이스라엘, 및 일본 등의 환자에서 양성률이 60-70% 가량으로 보고되는 반면, 북부 유럽이나 미국의 환자에서 페설지 반응이 양성인 환자는 드물다[1,2,26]. 국내의 환자에서 페설지 반응의 양성률은 36% 정도로 보고되고 있고, 페설지 반응은 질병의 활동기에 양성 반응이 잘 나타나며, 같은 환자에서도 질병의 활성도가 감소했을 때 검사를 시행하면 음성으로 변하는 경우를 흔히 볼 수 있다[7].

　　페설지 반응이 베체트병의 다른 임상 증상과 어떤 연관성이 있는지는 논란이 있는데 일부의 연구에서는 페설지 반응이 혈관을 침범한 환자와 남자 환자에서 강양성 반응이 잘 나온다고 보고한 반면[27,28], 다른 연구자들은 페설지 반응은 베체트병의 임상상과는 상관이 없다고 보고하였다[29,30]. 국내의 한 연구에서도 페설지 반응은 질병의 발병 연령, 성별, 임상 증상 및 HLA-B51 양성과 관련이 없다고 보고되었다[7](표 6).

　　페설지 검사가 베체트병 이외의 다른 질환에서 양성 반응이 나오는 경우는 아주 드물기 때문에 진단에 많은 도움이 되는데, 이스라엘에서 보고된 결과를 보면 베체트병 환자의 경우에는 46명 중 45명(97.8%)에서 양성 반응을 보인 반면 전신성 홍반성 루푸스, 류마티스 관절염 및 기타 다른 류마티스 질환 환자 46명에서는 모두 결과는 음성이었다[31]. 국내에서 Chang 등[7]이 보고한 연구에서 베체트병 환자는 64명 중 23명(35.9%)에서 양성 반응을 보인 반해 74명의 전신성 홍반성 루푸스, 척추관절증, 및 쇼그렌 증후군 등 류마티스 질환에서는 단지 한명에서 양성 반응이 나왔고, 건강대조군은 모두 음성이었다. 페설지 반응은 베체트병 진단에 많은 도움이 되는 현상인 것은 틀림없지만 질병특유증상(pathognomonic symptom)은 아니다. 괴저농피증(pyoderma gangrenosum)에서도 페설지 양성 반응이 보고되고 있으며[32], 만성 골수성 백혈병의 치료에 인터페론을 투여하는 경우에도 일부에서 페설지 양성 반응이 관찰된다고 보고되고 있다[33].

표 6. 페설지 반응과 베체트병 임상 양상과의 관계

	Pathergy positive (n=23)	Pathergy negative (n=41)	p-value
Erythema nodosum	11 (47.8%)	21 (51.2%)	1.0
PPL/pseudofolliculitis	15 (65.2%)	23 (56.1%)	0.598
Genital ulcer	14 (60.9%)	34 (82.9%)	0.072
Uveitis	3 (13.0%)	11 (26.8%)	0.345
GI involvement	5 (21.7%)	5 (12.2%)	0.474
Arthritis	9 (39.1%)	9 (22.0%)	0.160
HLA-B51	12 (52.2%)	21 (51.2%)	1.0

Reprinted from Chang HK et al. J Korean Med Sci 2002; 17: 784-9.

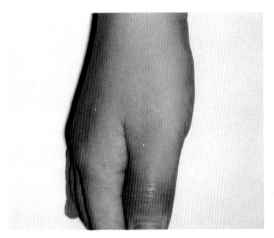

그림 31

페설지 양성 반응은 베체트병 환자에서 볼 수 있는 구진농포성 병변과 임상적으로나 조직학적으로 유사한데 Ergun 등[34]은 페설지 반응 부위를 시간대 별로 조직 검사하여 관찰하니 검사 후 4시간이 지나면서 호중구나 임파구의 침윤이 관찰되고, 이러한 염증세포는 28시간에 최고에 달하지만 특징적인 혈관염 소견은 관찰되지 않는다고 보고하였다. 베체트병 환자에서 관절천자 후 활막염이 악화되거나, 안구 수술과 연관된 포도막염의 유발 그리고 내부 장기를 수술한 후 수술 부위에 누공(fistula)이나 문합구 궤양(stomal ulcer)이 합병하는 현상 등 단순 외상에 대한 과민 반응의 일종인 페설지 반응은 피부에만 국한되는 현상은 아니다. 그림 31은 엄지 손가락의 지절간 관절(interphalangeal joints)에 침을 맞은 후 페설지 반응으로 염증성 활막염이 발생한 사진이다.

2. 안구 병변(Ocular lesions)

안구 병변은 주로 포도막(uvea)과 망막(retina)에 발생한다. 환자의 30-70%까지 유발될 수 있는데, 국내 환자에서는 안구를 침범한 환자의 빈도가 외국에 비해 적어 20-30% 정도에서 안질환을 동반하는 것으로 보고되고 있다. 안구 질환은 대부분 구강 궤양이 생긴 후 발생하지만 환자의 일부(약 10%)에서는 안구 병변이 베체트병의 첫 증상일 수 있다. 안구 증상의 발생과 이로 인한 안구의 손상은 대부분 질병이 시작된 지 수년 내에 일어나며, 환자는 시력 감소, 안구 통증, 눈부심(photophobia), 누루(lacrimation), 부유물(floaters), 및 충혈 등의 다양한 증상을 보인다[1-3,5,6].

양안을 모두 침범하는데 한쪽 눈에 증상이 먼저 발생하고 시간이 지나면서 양안에 모두 병변이 발생하는 경우가 흔하다. 포도막염은 홍체(iris)와 섬모체(ciliary body)에 염증이 있는 경우를 전방 포도막염(anterior uveitis)이라고 하며, 맥락막(choroidea)과 망막에 염증이 있는 경우를 후방 포도막염(posterior uveitis) 그리고 전체 포도막에 염증이 발생한 경우를 범포도막염(panuveitis)이라고 한다. 전방 포도막염과 후방 포도막염이 같이 발생하는 범포도막염이 흔하며, 전방 포도막염만 있는 경우에는 저절로 소실되기도 하나 반복된 병변의 발생으로 홍체의 변형이나 이차적인 녹내장(secondary glaucoma) 등의 불가역적인 구조적인 변화를 유발할 수 있다. 또한 전방축농 포도막염(hypopyon uveitis, 그림 32)은 척추관절증에서 관찰될 수도 있으나, 베체트병의 특징적인 병변 중의 하나며 증상은 대부분 일시적인 경우가 많은데 일반적으로 수일간 지속된 후 소실된다[1-3,35].

망막이 침범되는 경우 가장 심각한 안구 문제를 유발할 수 있는데, 망막혈관염(retinal vasculitis)으로 인해 혈관이 막혀 안구 통증없이 양안의 시력이 감소될 수 있다. 급성기 동안 안저 검사를 시행하면 삼출액(그림 33)이나 출혈을 동반한 망막 병변과 유리체액(vitreous humor)내에 세포침윤을 볼 수 있고, 형광조영술(fluorescein angiography, 그림 34)을 시행하면 혈관 확장 및 조영제 누출 등의 소견으로 망막혈관 병변을 진단하는데 유용한데 이러한 변화는 망막 병변이 관해에 이른 후에도 관찰될 수 있다[1-3]. 국내의 연구에서 안구 질환을 동반한 환자들을 조사하니 전방포도막염과 후방포도막염이 같이 동반된 경우가 47.1%로 가장 많았고, 전방 포도막염만 있는 경우 17.6%, 후방 포도막염만 있는 경우 17.6%, 후방포도막염과 망막혈관염이 있는 경우 11.8%, 그리고 베체트병에서 드물게 보고된 공막염(scleritis, 그림 35)이 있는 경우 1명(1.4%) 등이었다[6,36].

베체트병에서 안구 병변은 심각한 후유증을 유발할 수 있는 증상들 중 가장 빈도가 많은데, 한 연구에 의하면 베체트병으로 심한 안구 질환이 있으면서 치료받지 않는 경우 3.6년 가량이 경과하면 약 90% 정도에서 실명하였다고 보고하였다[37]. 또한 심한 안구 질환이 있는 경우 효과적인 치료에도 불구하고 20% 가량은 시력을 잃는다고 보고되고 있으며[38], 안구 병변이 발생하고 시력이 소실될 때까지 평균 5년 정도가 걸린다고 알려져 있다[3]. 그러나 최근에는 보다 효과적인 약물인 사이클로스포린이나 종양괴사인자 차단제로 조기에 적극적으로 치료하면 시력 손실을 최소화할 수 있으리라고 생각되며, 국내 환자에선 심한 안구 질환을 동반한 환자의 빈도가 중동이나 일본보다 적을 뿐만 아니라, 실제 임상에서 경험하면 시력 손실까지 초래되는 환자가 적은데 이는 우리나라 환자가 여자에 많고 발병 연령이 늦은 것도 한 원인이라고 생각된다.

3. 근골격계 질환(Musculoskeletal diseases)

관절염은 베체트병 환자의 40-60% 가량에서 동반되는데, 단관절염(monoarticular arthritis)이 가

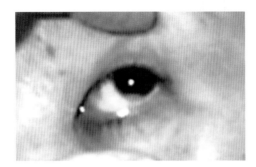

그림 32

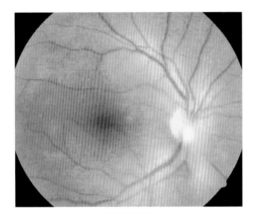

그림 33

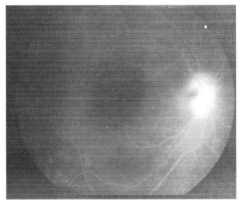

그림 34

Reprinted from Chang et al. Korean J Intern Med
2000; 15: 93-5.

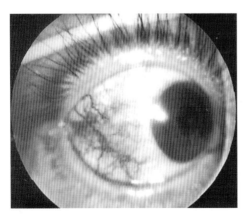
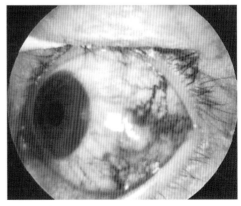

그림 35

Reprinted from Chang et al. Korean J Intern Med 2001; 16: 47-9.

장 흔하며, 관절 4개 이하가 침범되는 소수관절염(oligoarticular arthritis)이나 그 이상의 관절에 관절염이 발생하는 다발성 관절염(polyarticular arthritis)도 올 수 있다. 슬관절을 가장 잘 침범하고, 그 다음으로 발목관절, 손목관절, 및 주관절의 순으로 관절염이 발생한다. 활막액의 백혈구수는 대부분 5,000-30,000/mm³ 정도이고 다형핵백혈구가 대부분인 염증성 유형이며 활막의 조직 검사 소견은 다형핵백혈구의 침윤이 많으며 소수의 형질세포(plasma cell) 침윤과 임프소절(lymphoid follicle) 등을 볼 수가 있는데 이는 염증성 관절염(inflammatory arthritis)에서 볼 수 있는 비특이적인 소견으로 베체트병에 특징적인 소견은 아니다[1-3,39].

베체트병에서 관찰되는 관절염은 일시적인 경우가 많아 대부분 2개월 이내에 관절염은 소실되며 관절 변형이나 파괴가 동반되는 경우는 드물다. 그림 36은 우측 슬관절과 발목관절에 관절염이 발생한 환자의 핵의학 사진이다. 관절염은 반복해서 발생할 수 있는데 일부에서는 재발성 류마티즘(palindromic rheumatism)에서 보는 것처럼 여러 관절에 일시적이고 이동성(migratory)으

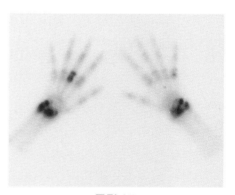

그림 37

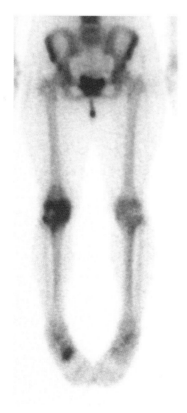

그림 36

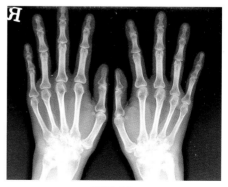

그림 38

표 7. 베체트병 환자에서 미란성 관절염(erosive arthritis)이 동반된 기존의 보고들

Authors	Number of patients	Sites of erosive arthritis
Yurdakul et al.[39]	5	Calcanea, metatarsophalangeal joints, temporomandibular joints, proximal interphalangeal joints of feet
Benamour et al.[41]	3 (2*)	Proximal interphalangeal joints of feet, distal radius, capitate
Ben-Dov and Zimmerman[42]	1*	Proximal interphalangeal joints of hands
Jawad and Goodwill[43]	1*	Carpi
Mason and Barns[44]	1	Manubriosternal joint
Vernon-Roberts et al.[45]	2	Manubriosternal joint, hip
Shimizu et al.[46]	2	Terminal interphalangeal joints of feet, Metatarsophalangeal joints
Kotter et al.[47]	1	Proximal interphalangeal joints of feet

*Patients mimicking rheumatoid arthritis; reprinted from Chang HK et al. Clin Exp Rheumatol 2003; 21(Suppl 30): S56.

표 8. 18명의 베체트병 환자에서 염증성 관절염의 분포

A. Site of inflammatory arthritis	No. of patients
Knee	9
Ankle	6
Wrist	6
Elbow	3
Metacarpophalangeal joint	3
Metatarsophalangeal joint	3
Proximal interphalangeal joint of hand	2
Shoulder	2
B. Other findings of inflammatory synovitis	
Total frequency of arthritis	43
Mean frequency per patient	2.4
No. of patients with monoarthritis	30 (69.8%)
No. of patients with oligoarthritis	10 (23.3%)
No. of patients with polyarthritis	3 (7.0%)
No. of patients with asymmetric involvement	34 (79.1%)
No. of patients with symmetric involvement	9 (20.9)

Reprinted from Chang HK et al. J Korean Med Sci 2002; 17: 784-9.

로 반복해서 관절염이 오기도 한다[1-3,39]. 드물게는 손에 있는 소형 관절을 대칭적으로 관절염이 발생하여 류마티스 관절염과 유사한 양상으로 관절염이 올 수 있고(그림 37), 관절 파괴가 발생한 경우도 보고되고 있는데, 관절 파괴가 동반된 관절염이 가장 잘 발생하는 관절은 발의 근위지절

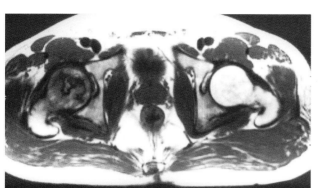
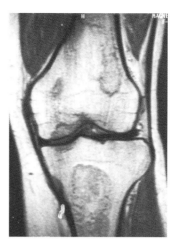

| 그림 39 | 그림 40 |

간 관절이다[40]. 또한 오랫동안 류마티스 관절염을 앓아 양측 손목 관절에 관절 파괴가 있는 환자에서(그림 38) 발치 후 베체트병의 증상이 악화된 예도 보고되었으며[40], 표 7는 베체트병 환자에서 문헌에 보고된 골파괴성 관절염(destructive arthritis)을 동반한 예들을 정리한 것이다[39-47].

국내에서는 외국의 환자에 비해 관절염이 동반되는 환자의 빈도가 적어 20-30% 가량에서 관절염이 동반된다고 보고되고 있는데, 다른 지역 환자에서 나타난 관절염 양상과 비슷하여 단관절염으로 온 경우가 가장 많았고, 슬관절, 발목관절, 및 손목관절의 순서로 관절이 침범되었다. 또한 4년 6개월 연구기간 동안 18명의 환자에서 43회의 관절염이 발생하여 환자 한 명당 평균 관절염의 발생 빈도는 2.4 회였다(표 8)[6].

베체트병의 치료에 다량의 스테로이드를 사용한 후 골괴사(osteonecrosis)가 온 예(그림 39)와 치료에 스테로이드를 사용한 병력이 없이 골경색(bone infarction)이 합병한 예들도(그림 40) 보고되고 있는데, 치료에 스테로이드를 많이 사용하고 있는 전신성 홍반성 루푸스 환자에서 골괴사가 비교적 흔히 합병되는 것과는 달리 베체트병 환자는 치료에 스테로이드가 흔히 사용되나 골괴사가 드물게 합병되는지 이유는 아직 확실하지 않다[40]. 천장골염이나 아킬레스건염 같은 부착부염(enthesitis)이 동반된 증례가 보고되어 베체트병을 척추관절증으로 분류해야 된다는 주장도 있는데[49] 이에 대해서는 5 장에서 다룰 예정이다.

4. 위장관 병변(Gastrointestinal lesions)

구강 궤양과는 달리 위장 계통에 궤양이 발생하는 경우 예후에 중대한 영향을 줄 수가 있어 장

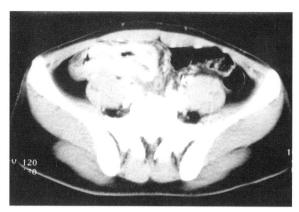

그림 41

베체트병(intestinal-Behcet's disease or entero-Behcet's disease)이라고 분류하기도 한다. 가장 흔한 증상은 복통이며, 설사나 혈변도 동반될 수 있다[1-3,50]. 국내에서 보고된 연구에서 장 궤양(intestinal ulcerations)이 있는 환자의 92%에서 복통을 호소하였고, 설사와 혈변을 동반한 환자는 각각 29%와 25%이었으며 그밖에도 오심, 구토, 소화불량, 체중감소 및 복부 종괴 등의 증상을 보일 수 있다[51,52]. 그림 41은 심한 회장 말단부의 궤양과 주변 조직의 염증 반응으로 우하복부에 종괴가 만져진 환자의 복부 단층촬영 소견이다.

　장 궤양은 위장관의 어느 곳이나 발생할 수 있으나 가장 호발하는 부위로는 회장 말단부(terminal ileum)와 맹장(cecum)으로 환자의 약 75% 가량에서 이 부위에 궤양이 합병하며, 결장이나 직장에도 궤양이 생길 수 있고 드물게는 식도나 위에도 궤양이 발생한다고 보고되고 있다[1-3,50]. 또한 베체트병 환자에서 장 궤양이 잘 발생하는 부위 중의 하나가 장 수술 후 문합(anastomosis) 부위에 발생하는 문합구 궤양(stomal ulcer)이다. 국내의 한 연구에서 11명의 위장관 궤양이 발생한 부위를 조사하니 회장 말단부 9명, 맹장 5명, 상행 결장 2명, 횡행 결장 2명, 그리고 식도 2명 등이었으며[6], 또 다른 연구에서 장궤양이 발생한 부위를 수술한 후 2년 내 50%에서 궤양이 재발하였고 가장 흔히 재발하는 부위가 문합 부위(54%)라고 보고하였다[52].

　장 궤양의 가장 흔한 형태는 단일 궤양이며 다발성으로도 발생할 수 있고 대장내시경 검사에서 회맹부(그림 42-45)나 문합부위(그림 46)에 경계가 명확한 단일 또는 몇 개의 깊은 궤양이 관찰되는 것은 흔한 소견이다[51,52]. 그림 47은 대장 조영사진이고, 그림 48은 회장 궤양의 천공으로 장을 절제한 사진이며, 그림 49는 회장 말단부 궤양과 함께 식도 궤양이 발생한 환자의 식도 내시경 사진이다[53].

　회맹부(ileocecal region)의 궤양은 천공되기 쉬우며, 회맹부 궤양이 있는 환자는 흔히 우하복부

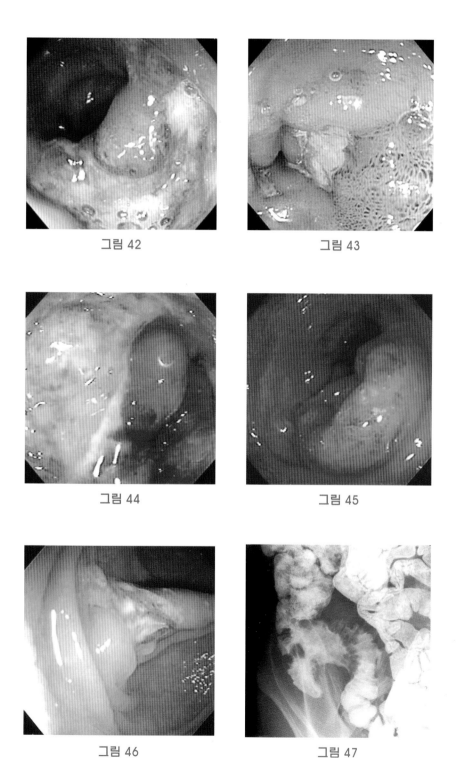

그림 42

그림 43

그림 44

그림 45

그림 46

그림 47

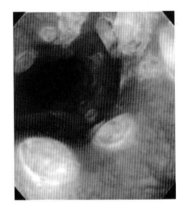

그림 48

그림 49

장현규 등, 대한류마티스학회지
1999; 6: 277-82.

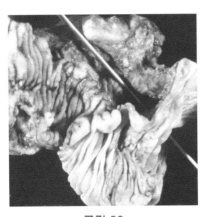

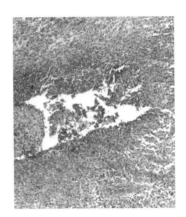

그림 50

그림 51

에 통증을 호소하기 때문에 급성 충수염(acute appendicitis)으로 오인될 수 있다. Lee 등은 장 베체트병을 가진 37명의 환자 중 6명(23.1%)에서 수술 전 진단명이 급성 충수염이라고 보고하였으며[52], Chang 등은 11명의 장 베체트병 환자 중 3명(27.3%)에서 베체트병에 의한 장궤양을 급성 충수염으로 오진하여 수술받은 과거력이 있다고 하였다[6]. 그림 50과 51은 장 베체트병을 급성 충수염으로 오진하여 충수를 제거한 후 맹장-맹장 누공(ceco-cecal fistula)이 합병한 예를 보여주고 있으며[54], 그림 52는 대장암으로 수술한 과거력이 있는 환자에서 장 궤양의 천공으로 인한 수술 소견에서 결장-방광 누공(ileo-vesical fistula)이 합병한 것을 보여주고 있다.

　장 궤양의 발생 빈도는 나라마다 많은 차이가 있는데 일본이나 한국에서는 장 베체트병 환자가 비교적 흔하게 발생하여 국내 환자의 약 15-20% 가량에서 장 궤양이 합병하며[6,16], 터키 등 중동 지

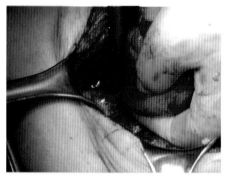

그림 52

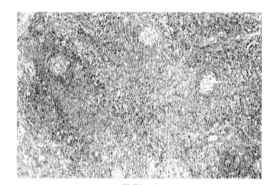

그림 53

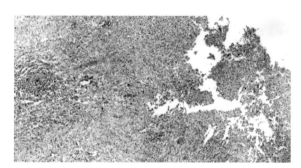

그림 54

역의 환자에서 장궤양이 발생하는 경우는 아주 드물다고 한다[55]. 1990년 베체트병 진단을 위한 세계 기준이 발표될 당시 연구에 참여한 환자 중 다수가 중동 지역 환자이어서 장 궤양이 베체트병의 세계 기준에는 포함되지 않았으나[56], 국내에서 장 궤양을 합병한 환자 중 베체트병 세계 기준을 만족하지 않는 환자가 적지 않고[16,51] 국내 환자에서 장 궤양은 베체트병 진단을 위한 유용한 증상 중의 하나이기 때문에 Chang 등이 제시한 베체트병의 기준[16,17]에는 장 궤양을 포함시켜 장 궤양을 동반한 환자의 진단과 분류를 용이하게 하였다.

장 베체트병과 감별을 요하는 대표적인 질환으로 크론씨병(Crohn's disease) 및 궤양성 대장염(ulcerative colitis)과 같은 염증성 대장 질환(inflammatory bowel disease)과 장 결핵(intestinal tuberculosis)등이 있다. 염증성 대장 질환은 구강 궤양, 포도막염, 홍반성 결절, 및 관절염 등 베체트병과 유사한 증상을 동반하기 때문에 장 베체트병과 감별이 힘들 수도 있다. 그러나 염증성 대장 질환에서는 음부 궤양, 페설지 양성 반응 및 중추신경계 증상 등을 볼 수 없으며[16,17], 크론씨병과 달리 장 베체트병에서는 육아종 형성이 없고, 장점막 임파 조직내에 과다한 임파구 침윤이나 임프 소절 등의 소견을 보일 수 있고(그림 53), 깊은 궤양과 더불어 혈관염(특히 세정맥염)이 관찰되기도 하며(그림 54), 질병 초기에 장 천공이 발생할 수 있다[16,17,50,57]. 또한 궤양성 대장염과 달리 장 베체트병은 우측 대장을 잘 침범하며, 병변의 불연속성과 직장을 잘 침범하지 않는 소견을 보인다[58]. 장 결핵은 크론씨병과 임상적 소견, 조직학적 소견 및 내시경 소견이 유사해서 감별이 필수적인데 생검한 조직의 배양이나 염색으로 결핵균을 발견할 수도 있고, 최근에는 중합효소연쇄반응 검사를 이용하여 결핵에 대한 진단 민감도가 많이 향상되었다[59].

5. 혈관 병변(Vascular lesions)

베체트병은 모든 크기 혈관을 침범할 수 있는 질환이며, 소혈관 혈관염(small vessel vasculitis)이 피부점막 병변, 음부 궤양 및 여러 장기 병변의 기본적인 병리 소견이기 때문에 혈관염 증후군(vasculitic syndrome) 중의 하나로 분류된다[1,60].

베체트병에서 중요한 혈관들(major vessels)이 침범한 경우를 혈관 베체트병(vasculo-Behcet's disease)이라고 하는데, 베체트병의 대표적인 혈관 병변에는 정맥 폐쇄(venous obstruction), 동맥 폐쇄(arterial obstruction) 및 동맥류(aneurysm) 3가지가 있다. 환자의 30% 정도까지 중요한 혈관들이 침범될 수 있는데 정맥이 동맥보다 잘 침범된다[1,60,61]. 터키의 Koc 등은 137명의 환자 중 38명(27.7%)에서 혈관 병변이 관찰되었는데, 정맥(88%)이 동맥(12%)보다 잘 침범되었으며, 혈관 질환은 남자 환자에서 4배 이상 많았고, 혈관 질환이 있는 경우 안구 병변과 페셜지 양성 반응이 더 잘 동반된다고 보고하였다. 또한 이들은 1967년부터 1990년까지 문헌상에 보고된 728명의 혈관 병변을 동반한 베체트병 환자들을 분석하였는데 표재성 혈전정맥염(superficial thrombophlebitis)과 상하지의 정맥 폐쇄가 가장 흔한 혈관 병변이며, 상대정맥(superior vena cava)과 하대정맥(inferior vena cava) 폐쇄, 동맥류, 그리고 상하지 동맥 폐쇄의 순으로 혈관 병변이 관찰되었다[61]. 베체트병의 혈관 병변은 혈전색전증(thromboembolism)을 거의 합병하지 않는다고 보고되고 있는데 이는 혈관염이 주병변이고 혈전 형성이 이에 이차적으로 일어나며 염증 반응으로 혈전이 혈관벽에 단단히 유착되어 있기 때문이라고 한다[26,60].

동맥은 폐쇄나 동맥류 형성에 의해 어느 곳이나 침범될 수 있는데 이 경우 기본적인 병변은 vasa vasorum의 혈관염이다[26]. 동맥류는 동맥의 폐쇄성 질환이 있는 경우에 비해 예후가 나쁘며 사망률이 60% 가량으로 보고되고 있는데, 특히 동맥류가 파열되는 경우 심각한 출혈을 유발할 수 있다[2]. Park 등은 74명의 베체트병 환자에서 동맥 침범에 대해 조사하였는데 대동맥이 가장 잘 침범되며, 폐동맥, 대퇴동맥, 슬와동맥, 쇄골하동맥 및 총경동맥의 순으로 침범된다고 보고하였다[62].

폐동맥에 후천적으로 동맥류를 형성하는 질환은 드물어 폐동맥류(pulmonary artery aneurysm)가 발견되는 경우 매독, 진균성 동맥류(mycotic aneurysm), 외상, 만성 폐동맥 고혈압 및 베체트병 등에 대한 감별이 필요하다. 베체트병에서 동맥류가 합병한 경우 환자의 59% 가량에서 하지 정맥이나 대정맥(vena cava) 등 큰 혈관에 혈전정맥염을 잘 동반하기 때문에, 폐동맥에 다발성 동맥류와 혈전정맥염이 특징인 Hughes-Stovin 증후군과 구분이 안되며, Hughes-Stovin 증후군을 베체트병의 혈관 증상 중의 하나라고 보는 것이 타당하다고 한다[60,63-66]. 폐 동맥류는 우측 하엽 동맥(right lower lobar artery)에 가장 호발하고, 좌폐동맥과 우폐동맥에도 비교적 잘 발생한다고 보고되고 있으며, 동맥류 직경은 1-7cm 정도이고 한 환자에서 2개 내지 7개 정도의 동맥류가 발견된다. 폐 동맥류는 동맥의 혈관염으로 인해 동맥벽의 염증성 삼출액이 혈관벽의 탄력성 조직(elastic tissue)

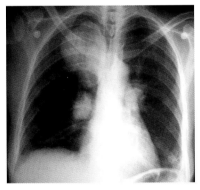

그림 55

Reprinted from Hamuryudan at al. Am J Med 2004; 117: 867-70.

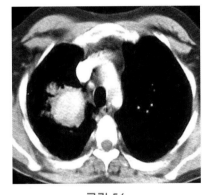

그림 56

Reprinted from Hamuryudan at al. Am J Med 2004; 117: 867-70.

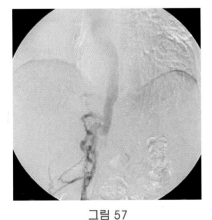

그림 57

김정혁 등 대한류마티스학회지 2004; 11:275-80.

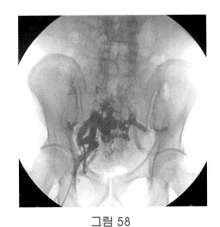

그림 58

김정혁 등 대한류마티스학회지 2004; 11:275-80.

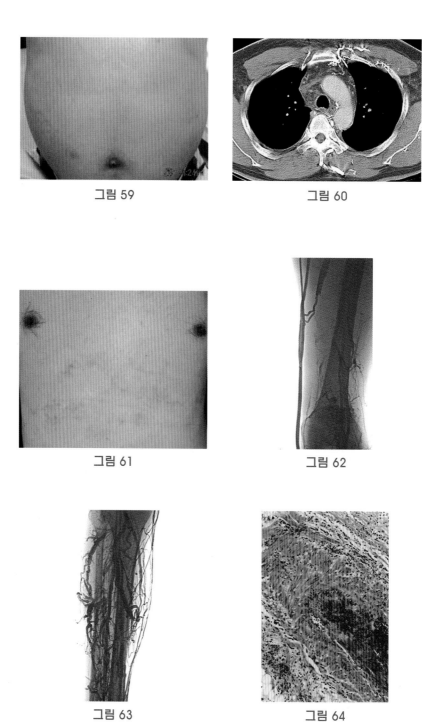

그림 59

그림 60

그림 61

그림 62

그림 63

그림 64

을 파괴하여 형성되며 염증 반응이 진행되면서 인접한 기관지를 침식하여 치명적인 폐출혈을 유발할 수 있다. 폐 동맥의 동맥류는 흉부 방사선 사진에 공동을 형성하지 않는 음영(non-cavitating shadow) (그림 55)으로 보이며 흉부 단층촬영(특히 나선식 단층 촬영, helical CT)에 의해 확진할 수 있다(그림 56)[26,63,64,97]. 터키의 보고에 의하면 환자의 1.1%에서 폐동맥 동맥류를 합병하며, 대부분 남자 환자에서 발생하고, 반복적인 객혈이 주증상인데 치명적인 객혈로 사망할 수 있다[67].

간정맥이 혈전에 의해 폐쇄되는 것이 특징인 Budd-Chiari 증후군은 국내 베체트병 환자에서는 거의 보고가 되지 않았지만 중동 지역 환자에서는 비교적 흔하게 동반된다고 보고되고 있다. Bayraktar 등은 493명의 환자를 조사하니 14명(2.8%)에서 간정맥 혈전증이 관찰되었고, 이 환자들은 하대정맥이나 문맥(portal vein)에 혈전증을 잘 동반하는데, 이 경우 하대정맥의 혈전증이 환자의 예후를 결정하는데 중요한 요인이라고 보고하였다[68].

국내에서 혈관 침범의 빈도는 중동 지역에 비해 적으나 침범되는 혈관의 분포는 외국의 보고와 유사하다. 한 등의 보고에 의하면 155명의 환자 중 23명(14.8%)에서 혈관 침범이 있었는데, 이들은 남자에서 월등히 많았고, 더 젊은 나이에 발병하였으며, 정맥이 동맥보다 잘 침범되었다. 이 환자들 중 정맥의 병변이 19명(12.3%)에서 관찰되었는데 하지의 심부정맥혈전증(deep vein thrombosis)이 가장 흔한 혈관 병변이었고, 동맥류는 10예(6.5%)에서 관찰되었는데 대동맥과 폐동맥이 각각 3예로 가장 많았으며, 동맥 폐쇄는 3예(1.9%)에서 있었다[69].

그림 57은 베체트병에 의한 하대정맥의 폐쇄로 인해 하대정맥이 보이지 않고 혈류가 홀정맥(azygous vein)과 반홀정맥(hemiazygous)을 거쳐 우심방으로 들어가는 것을 보여주고 있고, 그림 58은 이로 인해 골반강내에 다수의 측부 정맥들(collateral vessels)이 형성되어 있으며[70], 그림 59는 같은 환자에서 하대정맥 폐쇄로 인한 이차적인 간경화증으로 복수가 발생한 것을 보여주고 있다. 또한 그림 60과 61은 베체트병에 의한 상대정맥의 폐쇄와 이로 인해 흉부에 측부 정맥이 형성되어 표재성 정맥이 확장되어 있는 소견을 보여주고 있으며, 그림 62과 63은 베체트병에 의한 후경골정맥(posterior tibial vein)과 슬와정맥(popliteal vein)에 심부정맥혈전증과 이로 인해 많은 측부 혈관이 형성된 사진이다. 또한 그림 64는 동맥의 괴사성 혈관염과 동맥내 혈전 형성을 보여주고 있다.

6. 중추신경계 병변(Central nervous system lesions)

베체트병에서 중추신경계통의 침범은 환자의 예후 및 생활의 질에 중대한 영향을 주는데 중추신경계를 침범한 질환을 신경 베체트병(neuro-Behcet's disease)이라고도 한다. 베체트병 환자에서 중추신경계통의 질환은 3-10% 가량에서 발견되고 있으나[2], 일본 환자 170명을 대상으로 부검한 결과 34%에서 중추신경계 이상 소견이 발견되어 임상에서 경험하고 있는 것보다 훨씬 많은 환자들에서 중추신경계의 침범이 있을 것이라고 추정된다[71]. 이와는 반대로 베체트병에 의해 말초신경계 이상이 발견되는 경우는 거의 없다고 알려져 있다. 베체트병에서 중추신경계 침범은 질병이 시작된지 4-6년 내에 가장 잘 발생하지만 일부에서는 베체트병의 다른 임상 증상보다 중추신경계 질환이 선행할 수가 있어 이러한 경우에는 베체트병의 진단에 어려움을 겪을 수도 있다[16,72]. 국내에서 신경 베체트병의 빈도는 약 5% 정도에서 보고되고 있다[6,9,11].

베체트병의 중추신경계 병변은 신경계의 실질성 병변(parenchymal lesion)과 비실질성 병변(non-parenchymal lesion)으로 나눌 수 있는데, 실질성 병변은 뇌간(brain stem), 기저핵(basal ganglia), 간뇌(diencephalon), 및 내포(internal capsule) 등에 국소 병변을 초래하는 경향이 있는데 뇌간에 가장 잘 발생한다. 자기공명영상(MRI)으로 검사하면 대부분 이러한 부위에 국소 병변만을 볼 수 있으나, 부검으로 병변 부위를 조사하면 경미한 염증은 뇌막이나 척수를 포함한 전 중추신경계에서 볼 수 있다고 한다[72-74]. 비실질성 병변은 동맥 폐쇄, 동맥류 및 출혈 등 혈관 병변에 이차적으로 발생하기 때문에 엄밀한 의미에서는 신경 베체트병 보다는 혈관 베체트병으로 분류하는 것이 타당하며, 신경 베체트병 환자 중 실질병 병변은 82% 그리고 비실질성 병변은 18% 정도에서 발견된다고 보고되고 있다[72]. Akman-Demir 등은 중추신경계 질환이 있는 베체트병 환자 200명 중 162명(81%)에서 실질성 병변이 발견되었는데, 이중 51%가 뇌간에 병변이 국한되거나 뇌간을 포함한 다른 부위에 병변이 발견되었고, 15%에서 뇌반구 병변(hemispheric involvement), 14%에서 척수 병변 그리고 19%에서는 정확한 뇌병변의 위치를 정하기는 힘들었으나 추체 침범을 시사하는 소견만 발견되었으며, 비실질성 병변은 38명(18%)에서 관찰되었다고 보고하였다[75].

환자의 2/3 가량에서 증상은 급성으로 시작되며, 때로는 중등도의 열을 동반할 수 있고, 급성 질환은 호전되지만 후휴증이 남게 된다. 흔히 질병이 재발되면서 점차 신경계 병변은 진행되며, 재발이 없어도 질병은 서서히 진행될 수 있다. 또한 중추신경계 질환이 서서히 시작되어 진행되는 경우도 있는데 이러한 환자들 중 일부에서는 서서히 진행하다가 급성 질환이 나타날 수도 있다. 일부에서는 신경계 침범이 있으나 증상이 없이 뇌척수액 검사나 자기공명영상 등으로 이상 소견이 발견되기도 한다[72,76].

신경계 베체트병의 진단에 가장 예민한 검사는 자기공명영상으로 가장 흔한 소견은 뇌간에서 기저핵까지 병변이 걸쳐 있는 경우며(36%)(그림 65와 66), 뇌간(그림 67)이나 기저핵에 병변이 국한된 경우(26%), 다발성 뇌반구 백질 병변(multiple hemispheric white matter lesion, 16%) 등의 순서로 발견되며, 척수에도 병변이 나타날 수 있고, 질병이 진행되면 뇌간 위축(brain stem atrophy)의 소견을 보일 수 있는데 이는 다른 원인의 혈관염이나 다발성 경화증(multiple sclerosis)보다 베체트병을 더 시사하는 소견이다[72,75,77]. 그리고 다발성 뇌반구 백질 병변의 경우에는 다발성 경화증과 감별이 필요하다. 뇌척수액 검사 소견은 정상인 경우도 있으나 실질성 병변이 있는 환자에서는 뇌척수액내 단백질 증가와 세포수의 증가(주로 중성구)를 보이는 경우가 가장 많으며, 비실질성 병변에서는 뇌척수액 압력이 증가된 소견 외에는 대부분 뇌척수액내 이상 소견이 발견되지 않는다[72,75,78,79].

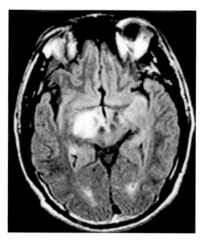

그림 65

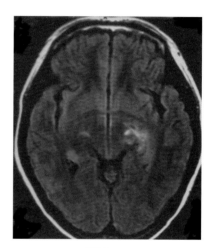

그림 66

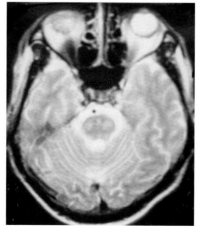

그림 67

신경 베체트병에서 가장 흔히 보이는 증상으로 실질성 병변에서는 양측 추체 징후(bilateral pyramidal sign), 편측마비, 행동 장애, 및 괄약근 장애(sphincteric disturbance) 등이며 감각 이상, 하반신마비 또는 목덜미 경직(nuchal rigidity) 등의 증상도 보일 수 있다. 비실질성 병변의 경우에는 뇌압 상승으로 인한 증상이 나타날 수 있다[72,75]. 신경계 질환이 자주 재발하거나, 뇌간을 포함한 병변, 뇌척수액내 이상 소견을 보이는 경우 및 자기공명영상에서 뇌간에서 기저핵까지 병변이 걸쳐있는 경우 등은 예후가 불량하다고 보고되고 있으며, Serdaroglu는 젊은 남자에서 운동정신 장애가 나타나고, 뇌척수액 검사에서 임파구에 비해 호중구가 증가되어 있으며, 자기공명영상 검사에서 병변이 뇌간부터 기저핵까지 걸쳐있는 경우 신경계 베체트병을 의심해야 된다고 하였다[72].

7. 폐질환(Pulmonary diseases)

2002년까지 200예 이상의 폐 침범을 동반한 베체트병 환자가 문헌에 보고되었는데, 베체트병에서 폐 침범의 빈도는 1-7.7% 정도라고 하며, 폐 동맥류, 폐 경색(pulmonary infarction), 폐쇄 세기관지 기질화폐염(bronchiolitis obliterans organized pneumonia) 및 흉막염 등이 합병할 수 있다. 폐 침범이 있는 경우 합병된 병변의 형태에 따라 각혈, 호흡곤란, 흉통, 기침 및 발열 등의 증상이 동반될 수 있으며, 폐 질환의 조직학적 소견은 소형 폐동맥과 큰 폐동맥의 혈관염이 주 소견이며 폐 정맥이나 중격 모세혈관들도 침범될 수 있다. 베체트병의 폐 침범은 폐 혈관에 발생한 혈관염으로 인해 혈전증, 폐경색, 폐출혈 및 폐 동맥류 등이 합병할 수 있으며, 혈관염이 있는 부위에는

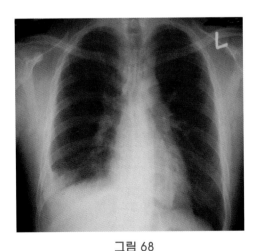

그림 68

제갈양진 등. 대한내과학회지 2000; 59: 535-9.

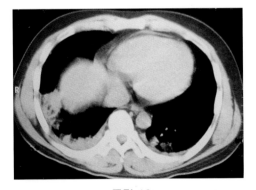

그림 69

제갈양진 등. 대한내과학회지 2000; 59: 535-9.

주로 임파구 침윤이 가장 많다고 알려져 있다. 베체트병에서 정맥에 혈전증은 잘 합병할 수 있으나 이는 혈관염으로 인한 염증 반응에 이차적으로 발생하고, 혈전이 혈관벽에 강력히 유착되어 폐 혈전색전증을 거의 유발하지 않기 때문에 항응고제 사용에는 논란이 있다. 특히 폐 동맥류와 같이 폐혈관이 침범된 환자에서 항응고제 사용은 치명적인 출혈을 유발할 수 있어 주의를 요한다 [63,64]. 그림 68과 69는 중추신경계 침범, 포도막염에 의한 실명 및 장천공 등을 합병한 젊은 남자 환자가 발열, 흉통, 및 호흡곤란 등을 주소로 내원하여 폐경색과 흉막 삼출액이 합병된 예를 보여주고 있다[80].

8. 심장 병변(Cardiac lesions)

베체트병에서 심장을 침범한 경우는 문헌에 간헐적으로 보고된 증례들과 심초음파를 이용한 연구가 있다. 간헐적으로 보고된 예는 심장 판막증, 급성 심근 경색증, 심낭염, 부정맥, 심장내 혈전증, 심근염, 울혈성 심근증, 및 심근내막 섬유증 등이 있는데, 베체트병 환자에서 심장이 침범된 경우는 드물게 보고되고 있다[81-88]. 국내에서 한 등[69]의 보고에 의하면 155명의 환자 중 4명(2.6%)에서 심장 병변이 있었는데, 이 중 3명이 대동맥판 역류였고 1명에서 삼첨판 협착증이었다. 베체트병의 심장 침범에 대한 연구는 보고자마다 그리고 연구한 방법에 따라 다른 결과를 보고하고 있다. Ozkan 등은 흉곽경유 심초음파(transthoracic echocardiography)를 이용해서 승모판 탈출증(mitral valve prolapse)이 6%, 대동맥 기시부(aortic root)의 확장이 5%에서 발견되었으나 대조군과 의미있는 차이는 없다고 보고하였다[81]. 그러나 Gurgun 등은 흉곽경유 심초음파와 식도경유 심초음파(transesophageal echocardiography)를 같이 시행하여 베체트병 환자에서 심방중격간 맥류(interatrial septum aneurysm) (31%), 승모판 탈출증(25%), 승모판 역류(40%) 및 Valsalva sinus 확장(28%) 등이 대조군보다 의미 있게 높은 빈도에서 발견됨을 보고하였다[82].

Huong 등은 심근내막 섬유증(endomyocardial fibrosis)을 합병한 베체트병 환자들을 보고하였는데 이러한 환자들은 동맥염, 심장 판막증 및 심실내 혈전증을 잘 동반하여 심장내막과 심근에 발생한 혈관염의 후유증으로 심근내막 섬유증이 발생하였으리라고 추정하였다[83]. 또한 Aytemir 등은 베체트병 환자에서 심실성 부정맥이 잘 발생하기 때문에, 73명의 환자에서 심전도상 QT 분산(QT dispersion)에 대해 조사하니, 건강대조군에 비해 의미있게 증가되어 있으며, QT 분산의 증가가 심실조기박동과 관련되어 있음을 발견하였다[84].

심장내 혈전증(intracardiac thrombosis)은 베체트병 환자에서 드물게 볼 수 있는 합병증 중의 하나로서 2000년까지 문헌에 24예만 보고되었다. 혈관 베체트병 환자에서 잘 동반되며, 주로 우심

방이나 우심실 등 우측 심장에서 발견된다. 대부분 젊은 남자 환자에서 심장내 혈전증이 합병하였으며, 대다수의 증례가 지중해 연안이나 극동 지역 환자였고, 환자의 반수 이상에서 심장내 혈전증이 베체트병의 처음 발현되는 증상이었다. 또한 심장내 혈전증이 있는 환자 중 가장 흔히 침범되는 심장 판막은 삼첨판막으로 5예에서 삼첨판막을 침범하였다고 보고되었다[85]. 국내에서 Lee 등은 대동맥판 폐쇄부전을 동반한 베체트병 환자에서 17번의 인공판막 대치술을 받은 환자들의 수술 후 경과를 조사했는데, 대동맥판막은 조직학적으로 광범위한 점액변성(myxoid degeneration)을 보였고, 수술 후 면역억제제를 투여하지 않은 15번의 수술 중 13예에서 수술 후 평균 5개월 내 인공판막이 박리되었지만, 면역억제제를 투여받은 2명의 환자에서는 수술 후 합병증이 발생하지 않아 수술 전후 면역억제제 사용의 중요성 강조하였다[86].

9. 신장 병변(Renal lesions)

1975년대까지만 해도 베체트병은 신장을 침범하지 않는 질환으로 알려져 있었으나[89], 그 이후의 보고에서는 베체트병도 신장을 침범할 수 있다고 보고되고 있다. 베체트병과 동반되어 나타날 수 있는 신질환은 유전분증(amyloidosis), 사구체신염(glomerulonephritis), 신혈관질환(renovascular disease), 간질성 신염(interstitial nephritis) 및 약물에 의한 합병증이나 비뇨생식기계 질환을 동반한 경우 등 5개 그룹으로 분류된다[90]. 베체트병의 임상 양상은 많은 지역적인 차이가 있는데, 위에 기술된 베체트병의 신병변들은 주로 중동지역 환자에서 보고되고 있으며, 국내에서는 단지 IgA 신병증과 신부전을 동반한 예가 각각 보고 되었지만[91,92], 베체트병에 의해 전형적인 신질환이 합병된 환자는 거의 보고되지 않았다.

Akpolat 등은 2002년까지 문헌에 보고된 신질환이 합병한 베체트병 환자 159병에 대해 조사하였는데 유전분증 69예, 사구체신염 51예, 신혈관 질환 35예, 그리고 간질성 신염 4예 등이었고, 남자 환자에서 모든 유형의 신질환이 발생할 위험이 높았다. 유전분증이 있는 경우 83%에서 신증후군이 있었고, 진단 당시 신부전증이 흔히 발견되었으며, AA 유형의 아밀로이드 원섬유(AA-type amyloid fibril)가 모든 환자에서 관찰되었다. 베체트병의 증상이 시작한 후 유전분증이 발병하기까지 기간은 평균 9.6년이었고, 환자의 60% 정도에서 혈관 침범이 동반되어 혈관침범이 있는 환자에서 유전분증의 위험이 높다고 보고하였다. 또한 사구체신염이 합병된 경우 무증상 혈뇨나 단백뇨만 보이는 경우부터 급속진행신구체신염(rapidly progressive glomerulonephritis)까지 다양한데, 초승달 사구체신염(crescentric glomerulonephritis), 증식성 사구체신염(proliferative glomerulonephritis) 및 IgA 신병증이 비교적 흔히 보고되는 조직형이었다. 그리고 베체트병에서 동반된 신혈관 질환으로는 신동맥 동맥류, 신정맥 혈전증 및 신동맥 협착증 등이 있었다. 베체트병 환자에서 동반되는 신질환은 대부분 경과가 양호하나 보고된 것보다 더 흔하며, 유전분증이 합병한 경우에는 5년 생존율이 46%로 예후에 중요한 영향을 주었으며, 콜히친이 가족성 지중해열(familial Mediterranean fever) 환자에서 유전분증을 예방하는데 효과가 있기 때문에 베체트병 환자에서도 콜히친이 유전분증의 예방 및 치료에 이용되고 있다고 보고하였다[90].

10. 부고환염과 기타 비뇨생식기 병변
(Epididymitis and other genitourinary leions)

부고환 부위에 통증과 부종을 동반하는 부고환염(epididymitis)은 중동 지역이나 일본의 환자에서는 4-17%의 빈도로 보고되고 있으나 국내 환자에서는 발생 빈도가 1-2% 정도로 드물게 보고되고 있다[2,3,6,9]. 증상은 부고환 부위의 통증과 부종으로 1-2주 지속할 수 있고, 자주 재발하는 경향이 있다[2,3]. 국내에서 Cho 등은 780명의 남자 환자 중 36명에서 부고환염이 발견되었는데(여자 환자의 빈도가 국내에서 2배 정도 많은 것을 감안하면 약 2% 가량의 빈도), 부고환염을 동반한 환자는 부고환염을 동반하지 않은 환자에 비해 음부 궤양, 피부 증상, 관절염, 중추신경계 증상 및 페설지 반응 양성의 빈도가 의미있게 높으나 안구 질환의 빈도는 낮다고 보고하였다[93].

그밖에 비뇨생식기를 침범하는 질환들은 정확한 빈도는 알려지지 않았으나 무균성 요도염과 방광염, 그리고 신경성 방광(neurogenic bladder) 등이 보고되고 있다[93-96].

 참고문헌

1. Sakane T, Takeno M, Suzuki N, Inaba G. Behcet's disease. N Engl J Med 1999; 341: 1284-91.

2. Kaklamani VG, Vaiopoulos G, Kaklamanis PG. Behcet's Disease. Semin Arthritis Rheum 1998; 27: 197-217.

3. Shimizu T, Ehrlich GE, Inaba G, Hayashi K. Behcet disease (Behcet syndrome). Semin Arthritis Rheum 1979; 8: 223-60.

4. Yazici H, Tuzun Y, Pazarli H, Yurdakul S, Ozyazgan Y, Ozdogan H, *et al*. Influence of age of onset and patient's sex on the prevalence and severity of manifestations of Behcet's syndrome. Ann Rheum Dis 1984; 43: 783-9.

5. Kural-Seyahi E, Fresko I, Seyahi N, Ozyazgan Y, Mat C, Hamuryudan V, Yurdakul S, *et al*. The long-

term mortality and morbidity of Behcet syndrome: a 2-decade outcome survey of 387 patients followed at a dedicated center. Medicine (Baltimore) 2003; 82: 60-76.

6. Chang HK, Kim JW. The clinical features of Behcet's disease in Yongdong districts: analysis of a cohort followed from 1997 to 2001. J Korean Med Sci 2002; 17: 784-9.

7. Chang HK, Cheon KS. The clinical significance of a pathergy reaction in patients with Behcet's disease. J Korean Med Sci 2002; 17: 371-4.

8. Chang HK. Update on the molecular genetic studies of Behcet's disease. Curr Rheumatol Rev (in press).

9. Bang D, Lee JH, Lee ES, Lee S, Choi JS, Kim YK, *et al.* Epidemiologic and clinical survey of Behcet's disease in Korea: the first multicenter study. J Korean Med Sci 2001; 16: 615-8.

10. 은희철, 정흠, 최성재. Behcet 병 114예에 대한 임상분석. 대한의학협회지 1984; 27: 933-9.

11. Bang D, Yoon KH, Chung HG, Choi EH, Lee ES, Lee S. Epidemiological and clinical features of Behcet's disease in Korea. Yonsei Med J 1997; 38: 428-36.

12. Gürler A, Boyvat A, Türsen U. Clinical manifestations of Behcet's disease: an analysis of 2147 patients. Yonsei Med J 1997; 38: 423-7.

13. Zouboulis CC, Kotter I, Djawari D, Kirch W, Kohl PK, Ochsendorf FR, *et al.* Epidemiological features of Adamantiades-Behcet's disease in Germany and in Europe. Yonsei Med J 1997; 38:411-22.

14. Jorizzo JL, Taylor RS, Schmalstieg FC, Solomon AR Jr, Daniels JC, Rudloff HE, *et al.* Complex aphthosis: a forme fruste of Behcet's syndrome? J Am Acad Dermatol 1985; 13: 80-4.

15. George D. Skin and rheumatic disease. In: Hochberg MC, Silman AJ, Smolen JS, Weinblatt ME, Seisman MH, eds. Rheumatology. 3rd ed. p. 279-92, London, Mosby, 2003.

16. Chang HK, Lee SS, Bai HJ, Lee YW, Yoon BY, Lee CH, et al. Validation of the classification criteria commonly used in Korea and a modified set of preliminary criteria for Behcet's disease: a multi-center study. Clin Exp Rheumatol 2004; 22(suppl 34): S21-6.

17. Chang HK, Kim SY. Survey and validation of the criteria for Behcet's disease recently used in Korea: a suggestion for modification of the International Study Group criteria. J Korean Med Sci 2003; 18: 88-92.

18. Lee ES, Bang D, Lee S. Dermatologic manifestation of Behcet's disease. Yonsei Med J 1997; 38: 380-9.

19. Callen JP. Panniculitis. In: Hochberg MC, Silman AJ, Smolen JS, Weinblatt ME, Seisman MH, eds. Rheumatology. 3rd ed. p. 1683-7, London, Mosby, 2003.

20. Kim B, LeBoit PE. Histopathologic features of erythema nodosum--like lesions in Behcet disease: a comparison with erythema nodosum focusing on the role of vasculitis. Am J Dermatopathol 2000; 22: 379-90.

21. Alpsoy E, Aktekin M, Er H, Durusoy C, Yilmaz E. A randomized, controlled and blinded study of

papulopustular lesions in Turkish Behcet's patients. Int J Dermatol 1998; 37: 839-42.

22. International Study Group for Behcet's disease: Criteria for diagnosis of Behcet's disease. Lancet 1990; 335: 1078-80.

23. Blobner F. Zur rezidivierenden Hypopyon-Iritis. Z Augenheik 1937; 91: 129-39.

24. Dilsen N, Konice M, Aral O, Ocal L, Inanc M, Gul A. Comparative study of the skin pathergy test with blunt and sharp needles in Behcet's disease: confirmed specificity but decreased sensitivity with sharp needles. Ann Rheum Dis 1993; 52: 823-5.

25. Özarmagan G, Saylan T, Azizlerli G, Övül C, Aksungur VL. Re-evaluation of the pathergy test in Behcet's disease. Acta Derm Venereol 1991; 71: 75-6.

26. Yazici H, Yurdakul S, Hamuryudan V, Fresko I. Behcet's syndrome. In: Hochberg MC, Silman AJ, Smolen JS, Weinblatt ME, Seisman MH, eds. Rheumatology. 3rd ed. p. 1665-9, London, Mosby, 2003.

27. Koc Y, Güllü I, Akpek G, Akpolat T, Kansu E, Kiraz S, *et al.* Vascular involvement in Behcet's disease. J Rheumatol 1992; 19: 402-10.

28. Yazici H, Tüzün Y, Tanman AB, Yurdakul S, Serdaroglu S, Pazarli H, *et al.* Male patients with Behcet's syndrome have stronger pathergy reactions. Clin Exp Rheumatol 1985; 3: 137-41.

29. Davies PG, Fordham JN, Kirwan JR, Barnes CG, Dinning WJ. The pathergy test and Behcet's syndrome in Britain. Ann Rheum Dis 1984; 43: 70-3.

30. Krause I, Molad Y, Mitrani M, Weinberger A. Pathergy reaction in Behcet's disease: lack of correlation with mucocutaneous manifestations and systemic disease expression. Clin Exp Rheumatol 2000; 18: 71-4.

31. Friedman-Birnbaum R, Bergman R, Aizen E. Sensitivity and specificity of pathergy test results in Israeli patients with Behcet's disease. Cutis 1990; 45 :261-4.

32. Hughes AP, Jackson JM, Callen JP. Clinical features and treatment of peristomal pyoderma gangrenosum. JAMA 2000; 284: 1546-8.

33. Budak-Alpdogan T, Demircay, Alpdogan O, Direskeneli H, Ergun T, Ozturk A, *et al.* Skin hyperreactivity of Behcet's patients (pathergy reaction) is also positive in interferon alpha-treated chronic myeloid leukaemia patients, indicating similarly altered neutrophil functions in both disorders. Br J Rheumatol 1998; 37: 1148-51.

34. Ergun T, Gurbuz O, Harvell J, Jorizzo J, White W. The histopathology of pathergy: a chronologic study of skin hyperreactivity in Behcet's disease. Int J Dermatol 1998; 37: 929-33.

35. Kim BH. Ophthalmologic manifestation of Behcet's disease. Yonsei Med J 1997; 38: 390-4.

36. Chang HK, Cho EH. A case of nodular scleritis in association with Behcet's disease. Korean J Intern Med 2001; 16: 47-9.

37. Mamo JG. The rate of visual loss in Behcet's disease. Arch Ophthalmol 1970;84:451-2.

38. Yazici H, Yurdakul S, Hamuryudan V. The management of Behcet's syndrome: how are we doing? Clin Exp Rheumatol 1999;17:145-7.

39. Yurdakul S, Yazici H, Tuzun Y, Pazarli H, Yalcin B, Altac M, et al. The arthritis of Behcet's disease: a prospective study. Ann Rheum Dis 1983; 42: 505-15.

40. Chang HK, Lee JY. Behcet's disease developing in longstanding rheumatoid arthritis. Clin Exp Rheumatol 2003; 21(Suppl 30): S56.

41. Benamour S, Zeroual B, Alaoui FZ. Joint manifestations in Behcet's disease. A review of 340 cases. Rev Rhum Engl Ed 1998; 65: 299-307.

42. Ben-Dov I, Zimmerman J. Deforming arthritis of the hands in Behcet's disease. J Rheumatol 1982; 9: 617-8.

43. Jawad ASM, Goodwill CJ. Behcet's disease with erosive arthritis. Ann Rheum Dis 1986; 45: 961-2.

44. Mason RM, Barnes CG. Behcet's syndrome with arthritis. Ann Rheum Dis 1969; 28: 95-103.

45. Vernon-Roberts B, Barnes CG, Revell PA. Synovial pathology in Behcet's syndrome. Ann Rheum Dis 1978; 37: 139-45.

46. Shimizu T, Ehrlich GE, Inaba G, Hayashi K. Behcet's disease (Behcet's syndrome). Semin Arthritis Rheum 1979; 8: 223-60.

47. Kötter I, Dürk H, Eckstein A, Zierhut M, Fierlbeck G, Saal JG. Erosive arthritis and posterior uveitis in Behcet's disease: treatment with interferon alpha and interferon gamma. Clin Exp Rheumatol 1996; 14: 313-5.

48. Chang HK, Choi YJ, Baek SK, Lee DH, Won KS. Osteonecrosis and bone infarction in association with Behcet's disease: report of two cases. Clin Exp Rheumatol 2001; 19(Suppl 24): S51-4.

49. Chang HK, Lee DH, Jung SM, Choi SJ, Kim JU, Choi YJ, et al. The comparison between Behcet's disease and spondyloarthritides: does Behcet's disease belong to the spondyloarthropathy complex? J Korean Med Sci 2002; 17(4): 524-9.

50. Bayraktar Y, Ozaslan E, Van Thiel DH. Gastrointestinal manifestations of Behcet's disease. J Clin Gastroenterol 2000; 30: 144-54.

51. Lee CR, Kim WH, Cho YS, kim MH, Kim JH, Park IS, *et al.*: Colonoscopic findings in intestinal Behcet's disease. Inflamm Bowel Dis 2001; 7: 243-9.

52. Lee KS, Kim SJ, Lee BC, Yoon DS, Lee WJ, Chi HS. Surgical treatment of intestinal Behcet's disease. Yonsei Med J 1997; 38: 455-60.

53. 장현규, 김연석, 김완수, 정행섭, 정승문. 다발성 식도궤양과 회장말단부궤양을 동반한 베체트병 2예. 대한류마티스학회지 1999; 277-82.

54. Chang HK, Kim JS, Chung HR. Ileocecal ulcer with a cecocecal fistula in Behcet's disease. Korean J Intern Med 2000; 15: 99-101.

55. Yurdakul S, Tuzuner N, Yurdakul I, Hamuryudan V, Yazici H. Gastrointestinal involvement in Behcet's syndrome: a controlled study. Ann Rheum Dis 1996; 55: 208-10.

56. International Study Group for Behcet's Disease: Evaluation of diagnostic ('classification') criteria in Behcet's disease--towards internationally agreed criteria. Br J Rheumatol 1992; 31: 299-308.

57. Takada Y, Fujita Y, Igarashi M, *et al.*: Intestinal Behcet's disease: pathognomonic changes in intramucosal lymphoid tissues and effect of a "rest cure" on intestinal lesions. J Gastroenterol 1997; 32: 598-604.

58. Lee RG: The colitis of Behcet's syndrome. Am J Surg Pathol 1986; 10: 888-93.

59 Gan HT, Chen YQ, Ouyang Q, Bu H, Yang XY: Differentiation between intestinal tuberculosis and Crohn's disease in endoscopic biopsy specimens by polymerase chain reaction. Am J Gastroenterol 2002; 97: 1446-51.

60. Lie JT. Vascular involvement in Behcet's disease: arterial and venous and vessels of all sizes. J Rheumatol 1992; 19: 341-3.

61. Koc Y, Gullu I, Akpek G, Akpolat T, Kansu E, Kiraz S, et al. Vascular involvement in Behcet's disease. J Rheumatol 1992; 19: 402-10.

62. Park JH, Han MC, Bettmann MA. Arterial manifestations of Behcet disease. AJR Am J Roentgenol 1984; 143: 821-5.

63. Raz I, Okon E, Chajek-Shaul T. Pulmonary manifestations in Behcet's syndrome. Chest 1989; 95: 585-9.

64. Erkan F, Gul A, Tasali E. Pulmonary manifestations of Behcet's disease. Thorax 2001; 56: 572-8.

65. Durieux P, Bletry O, Huchon G, Wechsler B, Chretien J, Godeau P. Multiple pulmonary arterial aneurysms in Behcet's disease and Hughes-Stovin syndrome. Am J Med 1981; 71: 736-41.

66. Erkan D, Yazici Y, Sanders A, Trost D, Yazici H. Is Hughes-Stovin syndrome Behcet's disease? Clin Exp Rheumatol 2004; 22(Suppl 34): S64-8.

67. Hamuryudan V, Yurdakul S, Moral F, Numan F, Tuzun H, Tuzuner N, et al. Pulmonary arterial aneurysms in Behcet's syndrome: a report of 24 cases. Br J Rheumatol 1994; 33: 48-51.

68. al-Dalaan A, al-Balaa S, Ali MA, Huraib S, Amin T, al-Maziad A, et al. Budd-Chiari syndrome in association with Behcet's disease. J Rheumatol 1991; 18: 622-6.

69. 한승우, 강영모, 김영욱, 이종태. 베체트병의 심혈관 침범. 대한내과학회지 2003; 64: 542-51.

70. 김정혁, 허환, 방기태, 배강우, 장현규, 이명용 등. Ebstein 기형 환자에서 발생한 혈관베체트병. 대한 류마티스학회지 2004; 11: 275-80.

71. Lakhanpal S, Tani K, Lie JT, Katoh K, Ishigatsubo Y, Ohokubo T. Pathologic features of Behcet's syndrome: a review of Japanese autopsy registry data. Hum Pathol 1985; 16: 790-5.

72. Serdaroglu P. Behcet's disease and the nervous system. J Neurol 1998; 245: 197-205.

73. RUBINSTEIN LJ, URICH H. Meningo-encephalitis of Behcet's disease: case report with pathological

findings. Brain 1963; 86: 151-60.

74. Sugihara H, Muto Y, Tsuchiyama H. Neuro-Behcet's syndrome: report of two autopsy cases. Acta Pathol Jpn 1969; 19: 95-101.

75. Akman-Demir G, Serdaroglu P, Tasci B. Clinical patterns of neurological involvement in Behcet's disease: evaluation of 200 patients. The Neuro-Behcet Study Group. Brain 1999; 122: 2171-82.

76. Akman-Demir G, Baykan-Kurt B, Serdaroglu P, Gurvit H, Yurdakul S, Yazici H, et al. Seven-year follow-up of neurologic involvement in Behcet syndrome. Arch Neurol 1996; 53: 691-4.

77. Coban O, Bahar S, Akman-Demir G, Tasci B, Yurdakul S, Yazici H, et al. Masked assessment of MRI findings: is it possible to differentiate neuro-Behcet's disease from other central nervous system diseases? Neuroradiology 1999; 41: 255-60.

78. Serdaroglu P, Yazici H, Ozdemir C, Yurdakul S, Bahar S, Aktin E. Neurologic involvement in Behcet's syndrome. A prospective study. Arch Neurol. 1989; 46: 265-9.

79. Sharief MK, Hentges R, Thomas E. Significance of CSF immunoglobulins in monitoring neurologic disease activity in Behcet's disease. Neurology 1991; 41: 1398-401.

80. 제갈양진, 장현규, 류대식, 원경숙. 폐경색을 동반한 베체트병 1예. 대한내과학회지 2000; 59: 535-39.

81. Ozkan M, Emel O, Ozdemir M, Yurdakul S, Kocak H, Ozdogan H, et al. M-mode, 2-D and Doppler echocardiographic study in 65 patients with Behcet's syndrome. Eur Heart J. 1992;13:638-41.

82. Gurgun C, Ercan E, Ceyhan C, Yavuzgil O, Zoghi M, Aksu K, et al. Cardiovascular involvement in Behcet's disease. Jpn Heart J 2002;43:389-98.

83. Huong DL, Wechsler B, Papo T, de Zuttere D, Bletry O, Hernigou A, et al. Endomyocardial fibrosis in Behcet's disease. Ann Rheum Dis 1997;56:205-8.

84. Ayrtemir K, Ozer N, Aksoyek S, Ozcebe O, Kabakci G, Oto A. Increased QT dispersion in the absence of QT prolongation in patients with Behcet's disease and ventricular arrhythmias. Int J Cardiol 1998; 171-5.

85. Mogulkoc N, Burgess MI, Bishop PW. Intracardiac thrombus in Behcet's disease: a systematic review. Chest 2000;118:479-87.

86. Lee CW, Lee J, Lee WK, Lee CH, Suh CH, Song CH, et al. Aortic valve involvement in Behcet's disease. A clinical study of 9 patients. Korean J Intern Med 2002;17:51-6.

87. Bowles CA, Nelson AM, Hammill SC, O'Duffy JD. Cardiac involvement in Behcet's disease. Arthritis Rheum 1985;28:345-8.

88. Eryol NK, Topsakal R, Abaci A, Oguzhan A. A case of atrioventricular complete block due to Behcet's disease. Jpn Heart J 2002;43:697-701.

89. Chajek T, Fainaru M. Behcet's disease. Report of 41 cases and a review of the literature. Medicine (Baltimore) 1975; 54: 179-96.

90. Akpolat T, Akkoyunlu M, Akpolat I, Dilek M, Odabas AR, Ozen S. Renal Behcet's disease: a cumulative analysis. Semin Arthritis Rheum 2002; 31: 317-37.

91. 이정은, 심지영, 장태식, 박정탁, 방동식, 정현주 등. 베체트병과 동반된 IgA 신병증 1예. 대한내과학회지 2005; 68: 329-33.

92. 양철우, 민도준, 송소향, 김석현, 한제호, 김석영 등. 신부전을 동반한 베쳇씨병. 1993; 45: 261-4.

93. Cho YH, Jung J, Lee KH, Bang D, Lee ES, Lee S. Clinical features of patients with Behcet's disease and epididymitis. J Urol 2003; 170: 1231-3.

94. Kirkali Z, Yigitbasi O, Sasmaz R. Urological aspects of Behcet's disease. Br J Urol 1991; 67: 638-9.

95. Ek L, Hedfors E. Behcet's disease: a review and a report of 12 cases from Sweden. Acta Derm Venereol 1993; 73: 251-4.

96. Saito M, Miyagawa I. Bladder dysfunction due to Behcet's disease. Urol Int 2000; 65: 40-2.

Chapter 5

Behcet's disease

베체트병과 연관된 특수 상황
(Specific conditions associated with Behcet's disease)

1. 가족성 베체트병(Familial Behcet's disease)

베체트병의 직계 가족 중 베체트병 환자가 있는 가족성 베체트병의 빈도는 터키를 포함한 중동 지역 8-34%, 일본 2-3% 및 한국 8-15% 등으로 보고되고 있는데[1-8], 이러한 가족성 베체트병 빈도의 차이는 인종 차이뿐만 아니라 연구 디자인의 차이 등으로 기인한다고 생각된다.

베체트병 환자의 발병 위험이 직계가족내에서 증가한다는 것은 베체트병의 병인에 유전적인 소인이 관여할 것을 시사하는 소견인데 가족성 베체트병에 대한 연구는 질병의 원인을 찾는 연구의 일환으로 진행되고 있다. 가족력이 있는 베체트병 환자는 그렇치 않은 환자에 비해 베체트병의 발병 연령이 낮다. 즉 16세 이전에 발병하는 소아 베체트병 환자의 경우에 성인 환자에 비해 직계가족내 베체트병 환자에 대한 가족력의 빈도가 높다고 한다. Gul 등은 170명의 환자 중 31명 (18%)에서 직계 가족 중 베체트병 환자가 있었으며, 소아 베체트병 환자의 베체트병에 대한 가족력은 33%로 성인 환자의 17%에 비해 현저히 직계가족내 베체트병 환자의 가족력의 빈도가 높다고 보고하였다. 또한 이들은 형제간 재발률(sibling recurrence rate, λs)을 환자의 형제간 질병 발생에 대한 위험도를 일반인에서의 형제간 위험도로 나눈 값으로 정의했을 때 베체트병에서는 11.4-52.5로 베체트병의 병인에 유전 요소가 많이 관여함을 시사하였다[2]. Kone-Paut 등은 106명의 소아 환자와 399명의 성인 환자를 조사했는데 가족력의 빈도는 각각 12.3%와 2.2%로 소아 환자에서 가족력의 빈도가 현저히 높았으며, 가족성 베체트병 환자에서 베체트병의 진단 기준을 만족하는 연령은 17.9세로 가족력이 없는 환자의 27.3세에 비해 현저히 낮다고 하였다[9]. 또한 Fresko 등은 가족성 베체트병 환자가 있는 18개 가족들 중 40명 환자에서 부모 세대와 그들의 자녀 세대를 조사하니, 15개의 가족들(84%)에서 부모 세대에 비해 자녀 세대의 환자가 베체트병 진단 기준을 만족하는 연령이 현저히 낮다고 보고하였다[10].

가족성 베체트병 환자가 있는 특정 가족을 대상으로 HLA유전자형에 대한 연구들이 있는데 특정 유전자의 조합이 베체트병의 발병에 기여하는 것 같지는 않으며 가족성 베체트병 환자에서 HLA-B51의 양성률이 가족력이 없는 환자에 비해 높다는 연구가 많으나 연구자마다 차이가 있다[7,11-17]. Nishiura 등은 가족성 베체트병 환자들에서 HLA-B51이 92%까지 검출된다고 하였으며[11], Villanueva 등은 6명의 자녀 중 3명의 여자 형제에서만 베체트병이 발생한 가족 8명을 대상으로 HLA유전자형에 대하여 조사하였는데 전 가족이 HLA-B51을 소유하고 있었고, 베체트병이 발생한 여자 형제들은 HLA유전자형이 완전히 일치하였으며, 모두 홍채염이 발생하였다고 보고하였다[12]. 그러나 Sant 등은 10명의 자녀 중 3명에서 베체트병이 발생한 가족을 대상으로 검사 하였는데 그들의 HLA 유전자 중 하나의 일배체형이 일치하였으나 모두 HLA-B51항원이 검출되지 않았고 홍채염이 발생한 예도 없다고 하였다[13]. 또한 터키의 Akpolat 등은 가족성 베체트병 환자 16명을 대상으로 검사하니 HLA-B51과 HLA-A2가 각각 68%와 75%에서 검출된다고 보고하였고[16], Balboni 등은 이탈리아 베체트병 환자들을 대상으로 검사하였는데 B51-DR5-DQw3의 일배체형이 베체트병과 밀접한 관계가 있다고 하였다[17].

국내에서 장 등은 형제중 여러명에서 베체트병이 발생한 일가족 중 3명(II-1, II-2, II-4)의 HLA유전자형이 완전히 일치하였으나 II-1만이 베체트병의 증세가 나타났고, II-6을 제외한 전 가족에서 HLA-B51항원이 검출되었다고 보고하였다. 6명의 형제 중 4명에서 베체트병이 발생하였으며, 이 중 한명의 환자(II-6)에서 HLA-B51항원이 음성었고, 홍반성 결절이 발생하였던 환자들은 모두

표 9. 가족성 베체트병 환자 일가족의 임상적 특징

Individual	Age/sex	Duration of oral ulcer	Clinical symptoms
I-2	73/F	40 years	Oral ulcer
II-1	50/F	13 years	Orogenital ulcer, EN-like lesion
II-2	48/F	3 years	Oral ulcer
II-3	40/F	18 months	Orogenital ulcer, EN-like lesion/papulopustular lesion
II-4	39/M	5 years	Oral ulcer
II-5	37/F	20 years	Orogenial ulcer, EN-like lesion thrombophlebitis
II-6	33/M	10 years	Oral ulcer, positive Pathergy test acneiform eruption, arthritis, epididymitis

EN: erythema nodosum; F: female; M: male; 장현규 등. 대한류마티스학회지 2000; 7: 20-5.

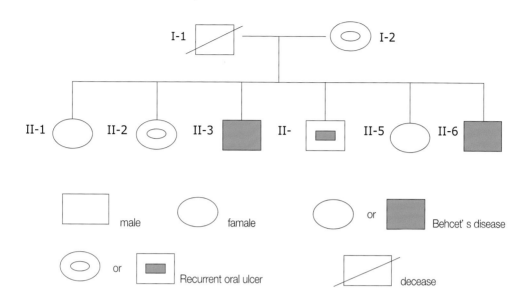

그림 70. 가족성 베체트병 환자 일가족의 가계도

장현규 등. 대한류마티스학회지 2000; 7: 20-5

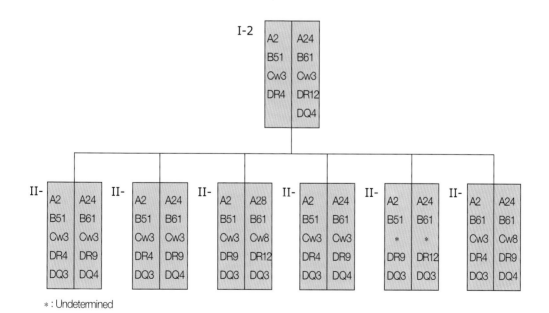

그림 71. 가족성 베체트병 환자 일가족의 HLA 검사 결과

장현규 등. 대한류마티스학회지 2000; 7: 20-5.

HLA-B51항원이 검출되었다. 그리고 가족 7명 모두에서 HLA-A2와 HLA-DQ3이 검출되었다. 그래서 이들은 가족성 베체트병의 발병이 특정 유전자형의 조합이나 특정 일배체형과 관련이 없었으며 HLA-B51 이외의 다른 유전인자나 환경적인 유인이 베체트병의 병인에 관여할 것이라고 암시하였다(표 9, 그림 70, 71)[7].

2. 소아 베체트병(Pediatric Behcet's disease)

16세 이전에 첫 증상이 발병하는 소아 베체트병은 드물게 보고되고 있는데[18] 터키의 Sarica 등은 1784명의 환자 중 95명(5.3%)에서 16세 이전에 베체트병의 첫 증상이 발생했다고 보고하였다[19]. 신생아에서 발생하는 경우는 더욱 드물어 문헌에 단지 몇 예 정도만 보고되고 있다[20-22]. 소아 베체트병의 임상 증상은 대부분의 연구에서 성인 환자와 비슷하며, 성인 환자의 임상 증상이 지역에 따라 많은 차이가 있는 것처럼 소아 환자에서도 그 지역 성인 환자의 지역적인 특징과 유사하게 보고되고 있다. 또한 소아 베체트병에서 베체트병의 증상이 일찍 발현되는데 대해서 특정 유전인자가 관여할 개연성이 있으나 아직 이에 대한 연구는 없는 실정이다.

Krause 등[23]은 19명의 이스라엘 소아 베체트병 환자를 대상으로 조사한 연구에서 평균 발병 연령은 6.9세였으며, 전반적으로 성인 환자와 유사한 임상적 특징을 보여주고 있으나 음부 궤양, 관절염, 혈관 혈전증 및 페설지 반응 양성률 등의 빈도가 성인 환자에 비해 낮고 위장관 증상의 빈도는 오히려 더 많았다고 보고하였다. 또한 소아 베체트병에서 중추신경계 침범이 25% 정도로 높다는 이전의 연구 결과[24-26]와 유사하게 신경 베체트병의 빈도가 26.3%로 높았으며, 안구 질환의 빈도가 소아 베체트병에서 낮다는 여러 기존의 보고와는[24-27] 달리, 이들의 연구에서는 47%로 성인의 것과 비슷하였고, 안구 질환으로 인한 후유증의 정도도 성인과 유사함을 발견하였다. 그러나 전반적인 질병의 활성도와 중증도는 성인에 비해 훨씬 경미하다고 보고하였다.

그리고 터키, 프랑스, 이란 및 사우디 아라비아의 소아 베체트병 환자 86명을 대상으로 한 연구에서 평균 발병 연령은 13세였고, 전반적인 소아 환자의 임상 증상은 성인 환자와 유사한데, 안구 침범의 빈도는 성인 환자보다 약간 적으나 안구 질환의 예후는 불량했고, 혈관 침범의 빈도도 소아에서 적으나 침범 정도가 더 심하며 소아 베체트병 환자의 사망률은 3%였는데 이 중 30%에서 혈관 질환과 관련이 있었다. 또한 성인 환자와 유사하게 남자 환자에서 더 심한 임상 경과를 보여주었고, 지역마다 소아 베체트병의 임상 증상이 달라 프랑스와 사우디 아라비아 환자에서는 중추신경계와 위장관를 침범한 환자가 많았고, 터키 환자에서는 피부 질환을 동반한 환자가 더 많았다[28].

국내 소아 환자에 대한 연구로는 Kim 등이 1983년부터 1992년까지 내원한 40명의 환자를 대상으로 보고하였는데 남녀 비율도 한국 성인 환자의 비율과 비슷하게 여자 환자가 1.5배 많았으며, 구강 궤양 100%, 음부 궤양 82.5%, 피부 증상 72.5% 및 안구 질환 27.5% 등으로 소아 환자의 주요 증상 빈도도 국내의 성인 베체트병 환자의 것과 유사하게 보고하였다. 또한 이들은 가족력을 가진 환자가 22.5%로 소아 환자에서 가족력의 빈도가 더 높다는 기존의 연구를 확인하였다[29].

3. 베체트병과 임신(Behcet's disease and pregnancy)

베체트병은 20-40대의 혈기왕성한 나이에 잘 발생하는 질환이기 때문에 베체트병에 걸린 환자도 임신이 가능한지 그리고 임신하는 경우 질병이 악화되거나 태아에 영향은 없는지가 큰 관심 사항이 아닐 수 없다. 베체트병 환자가 임신하는 경우 산모나 태아에 어떤 영향이 있는지에 관한 연구는 많지 않지만 지금까지의 연구 결과나 저자의 경험으로 미루어 중요한 장기나 혈관 침범이 있고 질병 활성도가 아주 높은 환자를 제외하고는 베체트병 환자가 임신하는 경우 음부 궤양 등 점막 증상이 악화되는 것을 제외하고는 임신이나 태아의 건강에 나쁜 영향을 주지는 않는 것 같다.

지금까지의 연구결과들을 보면 베체트병 환자가 임신하는 경우 질병의 활성도에 어떤 영향을 주는 지 저자에 따라 다르게 보고되고 있다. 몇몇 연구자들은 임신하는 경우 음부 궤양을 포함한 피부 점막 증상이 악화된 환자들을 보고하였고[30-32], 이와는 반대로 임신하는 경우 베체트병 증상이 소실되었다가 출산 후 질병 활성도가 증가된 환자들도 보고되었다[33,34]. Hamza 등은 8명의 환자에서 21번의 임신에 대해 후향적으로 조사했는데 12번의 임신에서는 치료와 관계없이 임신하는 경우 질병이 현저히 호전되었고, 9번의 임신에서는 반대로 증상이 악화되었는데 이 경우 주로 음부 궤양이 가장 문제가 되는 증상이었다고 하였다[35]. Bang 등은 27명의 베체트병을 가진 임산부를 조사하니 악화된 환자는 주로 구강 궤양과 음부 궤양만을 가진 경미한 환자들이었고, 관절이나 안구 침범이 있었던 환자에서는 호전되는 환자가 더 많았다고 보고하였다[36]. 또한 Marsal 등은 베체트병을 가진 환자와 건강 대조군 사이에 임신과 관계된 합병증과 수산기 사망률(perinatal death)의 빈도는 차이가 없었으며, 선천성 기형이나 신생아 베체트병 환자도 관찰되지 않았다고 발표하였다[37].

베체트병을 가진 환자가 임신을 희망하고 질병이 어느 정도 잘 조절되는 경우 반드시 주치의와 상의 하에 임신을 계획하는 것이 바람직하며, 태아에 영향을 줄 수 있는 약물은 환자의 상태를 고려해서 적어도 임신 3개월 전에는 중단해야만 한다. 콜히친은 베체트병의 피부 점막 증상과 관절 증상을 치료하고 심한 합병증을 예방할 수도 있다는 기대를 가지고 베체트병의 치료에 가장 많이 사용되고 있는 약물인데, 작용 기전이 세포의 미세관(microtubule)의 기능을 억제해서 효과를 나타내기 때문에, 세포 분열을 억제하고 생식선(gonads)에 영향을 주어 남자나 여자의 수정 능력(fertility)을 저해할 우려가 제기되고 있다[38]. 그러나 콜히친이 치료에 가장 효과적으로 사용되고 있는 질환 중의 하나가 가족성 지중해 열(familial Mediterranean fever)인데 치료에 일반적으로 사용되고 있는 용량을 장기간 사용하는 경우 때로 수정 능력에 장애가 있는 환자들을 볼 수 있는데 이는 질환 자체 때문이지 약물이 수정 능력에 악영향을 주는 것은 아니라고 하며, 가족성 지중해 열을 가진 임산부에 사용하는 경우에도 안전하고 유산이나 사산의 위험도 증가시키지 않는다고 보고되고 있다. 그래서 베체트병 환자가 임신을 희망하는 경우 환자의 질병 중증도나 활성도를 고려하여 약물을 임신기간 동안 투여하는 것이 더 환자나 태아에 도움이 된다고 판단되면 환자의 동의를 얻어 사용해야 하겠다. 또한 모유를 먹이는 경우 콜히친을 투여하는 것은 투여 용량의 10% 이하가 태아로 섭취되기 때문에 비교적 안전하다고 한다[38-40].

부신피질호르몬은 제형에 따라 임산부와 태아에 미치는 영향이 다르다. 프레드니솔론(prednisolone)의 경우 태반이 비활성물질인 프레드니손(prednisone)으로 전환시키기 때문에 임산부에 투여하는 경우 산모와 태아의 혈중 약물 농도가 10:1로 태아 혈중에 현저히 농도가 낮으며 기형아 출산률도 증가시키지 않는다. 또한 동물실험에서는 구개열(cleft palate) 발생이 증가된다고 보고되었으나 인간에서는 이러한 증가가 관찰되지 않기 때문에 저용량 프레드니솔론은 태아에 비교적 안전하며, 미국 소아과 학회에서 모유 수유에도 큰 문제가 없는 것으로 정하였다[41]. 베체트병의 치료에 비교적 많이 사용되고 있는 약물의 임신 위험도에 대한 FDA 분류 등급은 프레드니솔론 B, 콜히친 C, 답손 C, 사이클로스포린 C, 아자티오프린 D 및 설파살라진 B (출산 직전 D) 등이다.

4. 베체트병과 흡연(Behcet's disease and smoking)

흡연이 반복성 아프타성 궤양(recurrent aphthous ulcer)의 증상을 완화시키는 효과가 있으며, 비흡연자에 비해 흡연자에서 반복성 아프타성 궤양의 빈도가 적다고 보고되고 있다[42-43]. 또한 흡연이 궤양성 대장염에도 효과가 있다고 알려졌는데, 흡연자는 비흡연자에 비해 궤양성 대장염의 경과가 양호하며 니코틴 패취가 궤양성 대장염의 증상을 호전시킨다고 한다[44-46].

베체트병에서는 1992년 Silveira 등이 흡연이 베체트병의 증상을 호전시키는데 도움이 되며 이러한 효과는 산화 질소(nitric oxide) 합성이 흡연에 의해 변하기 때문일 것이라고 추정하였다[47]. 또한 금연 후 심한 구강 궤양이 발생하고 니코틴 패취를 사용한 후 증상이 현저히 호전된 베체트병 환자가 보고되었고[48], Soy 등은 연구 기간 동안 담배를 끊은 베체트병 환자가 베체트병을 가진 비흡연자에 비해 구강 궤양 발생이 현저히 많았으며(65.9% vs. 25%), 담배를 끊은 일부 환자에서 음부 궤양과 결절성 홍반이 발생하여, 금연이 베체트병의 피부 점막 증상을 악화시킬 수 있다고 결론지었다[49]. 그 후 이와 유사한 연구 결과들이 보고되고 있는데[50,51], 흡연에 의해 중성구 주화성이 감소하고, 중성구에서 과산화물(superoxide anion)과 자유 산소기(oxygen free radical)의 생성이 감소되는 등 전반적인 중성구 기능을 억제되는 것이 베체트병의 일부 증상을 완화시키는 것과 관련이 있을 것으로 생각되고 있다[50,52].

그러나 니코틴이 혈관을 수축시키는 등 흡연이 혈관염의 경과에 해로우며, 흡연에 의한 심혈관 계통의 위험 및 여러가지 흡연의 해악을 고려할 때, 베체트병의 치료에 흡연이나 니코틴 패취의 사용은 조심해야되며, 특히 흡연이 베체트병에서 혈전증 발생과 관련있다는 보고도 있어[53] 금연하는 경우 베체트병의 증상이 현저히 악화되는 일부 환자에서만 신중히 니코틴 패취 등의 사용이 고려되어야겠다.

5. 베체트병과 척추 관절증(Behcet's disease and spondyloarthropathy)

척추관절증은 최근 질환의 범주가 넓어져 중추관절(axial skeleton)을 침범하지 않는 질환도 포함되고 있는데, 척추관절증에는 대표적인 강직성 척추염(ankylosing spondylitis) 이외에도 반응성 관절염, 염증성 대장 질환과 관련된 관절염, 건선성 관절염, 미분화성 척추관절증 및 연소성 척추관절증 등이 포함된다[54,55]. Moll 등은 베체트병은 류마티스 인자와 류마티스 결절이 없고, 말초 염증성 관절염의 발생과 천장골염(sacroiliitis)의 빈도가 증가하며, 천추관절증(spondyloarthropathy)에 속하는 질환 중 반응성 관절염이나 염증성 대장 질환 등과 임상 증상이 유사하고, 가족내 질환의 빈도가 증가되는 점 등으로 미루어 척추관절증 중의 하나로 분류하는 것이 타당하다고 주장하였다[56].

베체트병 환자에서 천장골염이나 강직성 척추염의 빈도가 증가되는 지는 연구자마다 다른 결과를 보고하고 있다. 문헌상에는 한 환자에서 동시에 베체트병과 강직성 척추염의 진단 기준을 만족하는 여러 증례들이 보고되었는데[57-62], 그림 72와 73은 베체트병 환자에서 척추관절증의 특징적 소견 중의 하나인 양측성 천장골염의 방사선 사진과 자기공명영상 사진이며 그림 74는 베체트병 환자에서 척추관절증의 또다른 특징 중의 하나인 요추 극돌기에 부착부염(enthesitis)이 있는 것을 보여주는 골주사 사진이다[58]. 터키의 Dilsen 등은 334명의 베체트병 환자 중 33명(10%)에서 강직성 척추염과 112명(34%)에서 천장골염이 동반되었다고 보고하여 베체트병 환자에서 천장골염이나 강직성 척추염의 빈도가 증가된다고 보고한 연구자 중 가장 높은 빈도를 보고한 반면[63], 일부 다른 연구자들은 베체트병에서 천장골염이나 강직성 척추염의 빈도가 증가되지 않았다고 보

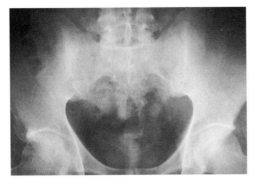
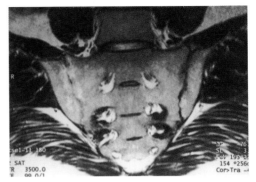

그림 72

그림 73

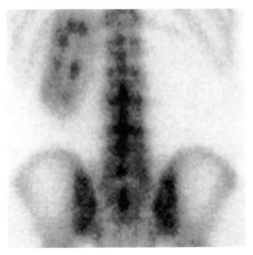

그림 74

고하였다[64-67]. Yazici 등은 이러한 연구자들 간의 많은 차이가 골반 단순 방사선 사진을 판독하는 의사들 사이의 견해 차이(interobserver variation) 및 천장골염이 증가한다고 보고한 연구들이 대조군이 없이 조사되었기 때문이라고 주장하였다[68]. 또한 Olivieri 등은 인종 차이나 각기 다른 베체트병 진단 기준을 이용한 것도 차이가 나는 원인 중의 하나일 것이라고 주장하였다[69].

베체트병 환자와 대조군 사이에 천장골염의 빈도를 비교한 연구에서, Yazici 등은 114명의 터키 베체트병 환자를 대상으로 조사하였는데 천장골염의 빈도가 증가되지 않았고, 단지 한 환자만이 강직성 척추염을 동반하였다고 보고하였으며[64]. Chamberlain 등은 34명의 베체트병 환자에서 천장골염의 빈도가 증가되지 않았고[65], Maghraoui 등은 방사선사진에서 의심되는 환자를 컴퓨터 단층촬영으로 확인한 결과 27명의 베체트병 환자 중 2명(7.4%)만이 천장골염이 있어 베체트병을 척추관절증으로 분류하기에는 근거가 충분치 않다고 주장하였다[66]. Chang 등은 58명의 베체트병 환자, 56명의 척추관절증 환자, 및 56명의 건강대조군을 대상으로 한 연구에서 방사선사진상 확실한 천장골염의 빈도는 척추관절증 46.4%, 베체트병 5.2%, 및 건강대조군 0%이었고, 부착부염의 빈도는 척추관절증 50%, 베체트병 3.4%였다. 그리고 안구침범의 양상이 두 질환 간에 현저히 다르고, 척추관절증과 연관된 HLA 유형은 HLA-B27인 반면, 베체트병은 HLA-B51이기 때문에 베체트병을 척추관절증으로 분류하는 것은 타당하지 않다고 주장하였다[58].

이상의 결과를 종합할 때 천장 관절도 베체트병에서 침범될 수 있는 관절 중의 하나이며, 베체트병을 척추관절증으로 분류하는 것은 적합치 않고 혈관염 증후군으로 분류하는 것이 타당하리하고 생각된다.

6. 베체트병의 상처치유(Wound healing in Behcet's disease)

Chapter 4에서 소개한 것처럼 일부 베체트병 환자에서 피부에 일회용 주사바늘을 이용하여 단자하고 24-48 시간이 경과하면 단자 부위에 구진이나 농포가 형성되는 페설지 반응을 관찰할 수 있으며, 또한 이러한 과민반응으로 수술 부위에 누공이나 문합부 궤양이 합병되거나, 관절 천자후 활막염이 악화될 수 있고, 안구 수술로 유발된 포도막염이 발생되는 등 단순 외상에 대한 과민반응은 피부에만 국한된 현상이 아니어서 베체트병 환자의 상처 치유가 정상인과 다를 가능성이 있다. Mat 등은 20명의 베체트병 환자와 20명의 보통 여드름(acne vulgaris)을 가진 대조군을 대상으로 피부 전층을 펀치 조직생검한 후 상처 치유에 대해 조사했는데 베체트병 환자의 90%에서 검사 후 이틀째 되는 날 조직생검 부위에 염증 반응으로 발적의 테(erythematous halo)를 관찰할 수 있었으나 상처 치유 정도는 대조군과 차이가 없었다고 보고하였다[70]. 그러나 베체트병 환자를 대상으로 외과적 수술을 하는 경우 간혹 수술 부위에 여러 합병증이 관찰될 수 있기 때문에 베체트병 환자에서 상처 치유가 정상인지에 대해서는 더 많은 연구가 필요한 실정이다.

7. 베체트병과 악성 종양(Behcet's disease and malignant tumor)

류마티스 관절염, 전신성 홍반성 루푸스, 전신성 경화증, 피부 근염 및 쇼그렌 증후군 등 여러 교원병에서 악성 종양의 빈도가 증가된다고 알려졌는데, 이러한 질환에서 자가 면역 질환의 성향 및 치료에 사용되는 면역억제제가 악성 종양의 발생과 관련이 있는 것으로 추정되고 있다[71-73]. 베체트병에서 악성 종양의 발생에 대한 체계적인 조사는 많치 않은데, 터키의 Cengiz 등은 1986년부터 1999년까지 베체트병으로 치료받은 400명의 환자 중 13명(3.25%)에서 악성 종양이 발생했는데 10명이 고형암(solid tumor)이었고, 3명이 혈액이나 임파선 계통의 악성 질환이라고 보고하였다. 또한 베체트병에서 이러한 악성 종양의 빈도는 일반인과 비교할 때 약간 높으나 통계적으로 유의한 정도는 아니었고, 사이클로포스파마이드를 사용한 후 방광암이 병발한 예를 제외하고는 베체트병의 치료와 직접 관련된 악성 질환은 없었으며, 베체트병에서 악성 종양이 발생한 경우 치료에 화학요법이나 수술 요법을 이용하는 것은 비교적 안전한데 반해, 방사선치료 후 상완신경총병증(brachial plexopathy), 피부 괴사 및 요도 협착 등이 합병되어, 베체트병 환자에서 방사선 치료는 합병증이 병발할 가능성이 클 것임을 시사하였다. 또한 이들은 문헌을 고찰하니 이들이 보고한 증례 외에도 베체트병 환자에서 27 예의 악성 종양이 보고되었는데 그들의 조사와는 달리 대부분 혈액이나 임파선 계통의 암이라고 하였다[74].

8. 베체트병과 간염(Behcet's disease and hepatitis)

자가면역질환이나 혈관염의 병인에 연관된 것으로 알려진 대표적인 간염 바이러스는 C형 간염(hepatitis C)과 B형 간염(hepatitis B)바이러스이다. C형 간염 바이러스(hepatitis C virus, HCV) 감염은 면역 복합체를 형성하여 혼합 한냉글로불린혈증(mixed cryoglobulimia)이나 사구체신염 등의 발생에 관여하며[75,76], 쇼그렌 증후군과 유사한 침샘염(sialadenitis)이 HCV 외피 유전자 트랜스제닉 마이스에서 관찰되는 등 C형 간염 바이러스는 혈관염이나 자가면역 질환의 병인에 관여하는 것으로 알려져 있다[77]. 1995년 Munke 등이 C형 간염 바이러스에 감염된지 5년 후에 베체트병이 발생한 환자를 보고하면서 베체트병이 C형 간염 바이러스 감염과 관련이 있을 가능성을 시사하였으나[78], 그 이후 여러 저자들에 의해 C형 간염 바이러스 감염과 베체트병의 발생은 서로 관련성이 없다고 확인되었다[79-82].

B형 간염 바이러스(hepatitis B virus, HBV) 감염은 결절성 다발동맥염(polyarteritis nodosa)이나 막성 사구체신염(membranous glomerulonephritis)을 유발할 수 있다고 알려졌는데[81,82], Aksu 등은 베체트병 환자와 건강 대조군간 HBs 항원 빈도의 차이가 없으나, HBs 항체의 빈도는 베체트병 환자에서 건강 대조군에 비해 낮다고 보고하면서 그 이유로 베체트병의 치료에 면역억제제를 사용하기 때문에 항체 형성이 잘 안되고, 반복된 음부 궤양으로 성적 접촉이 적어 감염의 기회도 적기 때문일 것이라고 추정하였다[81]. 일본의 Akaogi 등은 HBs 항원과 항체의 빈도는 베체트병 환자와 대조군 간에 차이가 없었으나 HBV-DNA가 베체트병 환자에서 대조군에 비해 의미있게 높게 검출되어 B형 간염 바이러스 감염이 베체트병의 병인에 관여할 가능성을 시사하였다[82].

참고문헌

1. Sakane T, Takeno M, Suzuki N, Inaba G. Behcet's disease. N Engl J Med 1999; 341: 1284-91.

2. Gul A, Inanc M, Ocal L, Aral O, Konice M. Familial aggregation of Behcet's disease in Turkey. Ann Rheum Dis 2000; 59: 622-5.

3. International Study Group for Behcet's Disease: Evaluation of diagnostic ('classification') criteria in Behcet's disease--towards internationally agreed criteria. Br J Rheumatol 1992; 31: 299-308.

4. Nishiyama M, Nakae K, Umehara T. A study of familial occurrence of Behcet's disease with and without ocular lesions. Jpn J Ophthalmol 2001; 45: 313-6.

5. Chang HK, Kim JW. The clinical features of Behcet's disease in Yongdong districts: analysis of a cohort followed from 1997 to 2001. J Korean Med Sci 2002; 17: 784-9.

6. Zouboulis CC, Kotter I, Djawari D, *et al.* Epidemiological features of Adamantiades-Behcet's disease in Germany and in Europe. Yonsei Med J 1997; 38: 411-22.

7. 장현규, 김정욱. 가족성 베체트병의 HLA 항원에 관한 연구. 대한류마티스학회지 2000; 7: 20-5.

8. Bang D, Yoon KH, Chung HG, Choi EH, Lee ES, Lee S. Epidemiological and clinical features of Behcet's disease in Korea. Yonsei Med J 1997; 38: 428-36.

9. Kone-Paut I, Geisler I, Wechsler B, Ozen S, Ozdogan H, Rozenbaum M, et al. Familial aggregation in Behcet's disease: high frequency in siblings and parents of pediatric probands. J Pediatr 1999; 135: 89-10.

10. Fresko I, Soy M, Hamuryudan V, Yurdakul S, Yavuz S, Tumer Z, et al. Genetic anticipation in Behcet's syndrome. Ann Rheum Dis 1998; 57: 45-8.

11. Nishiura K, Kokake S, Ichiishi A, Matsuda H. Familial occurrence of Behcet's disease. Jpn J Ophthalmol 1996;40:255-9.

12. Villanueva JL, Gonzalez-Dominguez J, Gonzalez-Fernandez R, Prada JL, Pena J, Solana R. HLA antigen familial study in complete Behcet's syndrome affecting three sisters. Ann Rheum Dis 1993;52:155-7.

13. Sant SM, Kilmartin D, Acheson RA. HLA antigens in familial Behcet's disease in Ireland. Br J Rheumatol 1998;37:1250-1.

14. Mori M, Kuriyama T, Mitsuda T, Aihara Y, Yokoda S, Chiba J. Familial Behcet's disease; a case report. Ryumachi 1994; 34: 988-92.

15. Gonzalez T, Gantes M, Bustabad S. HLA haplotypes in familial Behcet's disease. J Rheumatol 1984; 11: 405-6.

16. Akpolat T, Koc Y, Yeniay I, Akpek G, Gullu I, Kansu E, et al. Familial Behcet's disease. Eur J Med

1992; 1: 391-5.

17. Balboni A, Pivetti-Pezzi P, Orlando P, Rubini M, Selvatici R, Accorinti M, et al. Serological and molecular HLA typing in Italian Behcet's patients: significant association to B51-DR5-DQw3 haplotype. Tissue Antigens 1992; 39: 141-143.

18. Kone-Paut I, Gorchakoff-Molinas A, Weschler B, Touitou I. Paediatric Behcet's disease in France. Ann Rheum Dis 2002; 61: 655-6.

19. Sarica R, Azizlerli G, Kose A, Disci R, Ovul C, Kural Z. Juvenile Behcet's disease among 1784 Turkish Behcet's patients. Int J Dermatol 1996; 35: 109-11.

20. Fam AG, Siminovitch KA, Carette S, From L. Neonatal Behcet's syndrome in an infant of a mother with the disease. Ann Rheum Dis 1981; 40: 509-12.

21. Fain O, Mathieu E, Lachassinne E, Buisson P, Bodemer C, Gaudelus J, et al. Neonatal Behcet's disease. Am J Med 1995; 98: 310-1.

22. Stark AC, Bhakta B, Chamberlain MA, Dear P, Taylor PV. Life-threatening transient neonatal Behcet's disease. Br J Rheumatol 1997; 36: 700-2.

23. Krause I, Uziel Y, Guedj D, Mukamel M, Harel L, Molad Y, et al. Childhood Behcet's disease: clinical features and comparison with adult-onset disease. Rheumatology 1999; 38: 457-62.

24. Ammann AJ, Johnson A, Fyfe GA, Leonards R, Wara DW, Cowan MJ. Behcet syndrome. J Pediatr 1985; 107: 41-3.

25. Lang BA, Laxer RM, Thorner P, Greenberg M, Silverman ED. Pediatric onset of Behcet's syndrome with myositis: case report and literature review illustrating unusual features. Arthritis Rheum 1990; 33: 418-25.

26. Rakover Y, Adar H, Tal I, Lang Y, Kedar A. Behcet disease: long-term follow-up of three children and review of the literature. Pediatrics 1989; 83: 986-92.

27. Martini A. Behcet's disease and Takayasu's disease in children. Curr Opin Rheumatol 1995; 7: 449-54.

28. Kone-Paut I, Yurdakul S, Bahabri SA, Shafae N, Ozen S, Ozdogan H, et al. Clinical features of Behcet's disease in children: an international collaborative study of 86 cases. J Pediatr 1998; 132: 721-5.

29. Kim DK, Chang SN, Bang D, Lee ES, Lee S. Clinical analysis of 40 cases of childhood-onset Behcet's disease. Pediatr Dermatol 1994; 11:95-101.

30. Madkour M, Kudwah A. Behcet's disease. Br Med J 1978; 2: 1786.

31 Farrag OA, Al-Suleiman SA, Bella H, Al-Omari H. Behcet disease in pregnancy. Aust N Z J Obstet Gynaecol 1987; 27: 161-3.

32. Hurt WG, Cooke CL, Jordan WP, Bullock JP Jr, Rodriguez GE. Behcet's syndrome associated with pregnancy. Obstet Gynecol 1979; 53(3 Suppl): 31S-33S.

33. Chajek T, Fainaru M. Behcet's disease. Report of 41 cases and a review of the literature. Medicine (Baltimore) 1975; 54: 179-96.

34. Ferraro G, Lo Meo C, Moscarelli G, Assennato E. A case of pregnancy in a patient suffering from the Behcet syndrome: immunological aspects. Acta Eur Fertil 1984; 15: 67-70.

35. Hamza M, Elleuch M, Zribi A. Behcet's disease and pregnancy. Ann Rheum Dis 1988; 47: 350.

36. Bang D, Chun YS, Haam IB, Lee ES, Lee S. The influence of pregnancy on Behcet's disease. Yonsei Med J 1997; 38: 437-43.

37. Marsal S, Falga C, Simeon CP, Vilardell M, Bosch JA. Behcet's disease and pregnancy relationship study. Br J Rheumatol 1997; 36: 234-8.

38. Ben-Chetrit E, Levy M. Colchicine: 1998 update. Semin Arthritis Rheum 1998; 28: 48-59.

39. Ben-Chetrit E, Levy M. Colchicine prophylaxis in familial Mediterranean fever: reappraisal after 15 years. Semin Arthritis Rheum 1991; 20: 241-6.

40. Ehrenfeld M, Brzezinski A, Levy M, Eliakim M. Fertility and obstetric history in patients with familial Mediterranean fever on long-term colchicine therapy. Br J Obstet Gynaecol 1987; 94: 1186-91.

41. Stein CM, Pincus T. Glucocorticoids. In: Ruddy S, Harris ED Jr, Sledge CB, eds. Kelley's Textbook of Rheumatology. 6th ed. p. 823-40, WB Saunders, Philadelphia, 2001.

42. Bookman R. Relief of ulcer sores on resumption of cigarette smoking. Calif Med 1960; 93: 235-6.

43. Chellemi SJ, Olson DL, Shapiro S. The association between smoking and aphthous ulcers. A preliminary report. Oral Surg Oral Med Oral Pathol 1970; 29: 832-6.

44. Logan RF, Edmond M, Somerville KW, Langman MJ. Smoking and ulcerative colitis. Br Med J 1984; 288: 751-3.

45. Odes HS, Fich A, Reif S, Halak A, Lavy A, Keter D, et al. Effects of current cigarette smoking on clinical course of Crohn's disease and ulcerative colitis. Dig Dis Sci 2001; 46: 1717-21.

46. Pullan RD, Rhodes J, Ganesh S, Mani V, Morris JS, Williams GT, et al. Transdermal nicotine for active ulcerative colitis. N Engl J Med 1994; 330: 811-5.

47. Silveira LH, McGrath H Jr. Smoking controls symptomatology of Behcet's disease. Arthritis Rheum 1992; 35(Suppl): 12S.

48. Scheid P, Bohadana A, Martinet Y. Nicotine patches for aphthous ulcers due to Behcet's syndrome. N Engl J Med 2000; 343: 1816-7.

49. Soy M, Erken E, Konca K, Ozbek S. Smoking and Behcet's disease. Clin Rheumatol 2000; 19: 508-9.

50. Rizvi SW, McGrath H Jr. The therapeutic effect of cigarette smoking on oral/genital aphthosis and other manifestations of Behcet's disease. Clin Exp Rheumatol. 2001; 19(Suppl 24): S77-8.

51. Kaklamani VG, Markomichelakis N, Kaklamanis PG. Could nicotine be beneficial for Behcet's disease? Clin Rheumatol 2002; 21: 341-2.

52. Bridges RB, Hsieh L. Effects of cigarette smoke fractions on the chemotaxis of polymorphonuclear leukocytes. J Leukoc Biol 1986; 40: 73-85.

53. Korkmaz C, Bozan B, Kosar M, Sahin F, Gulbas Z. Is there an association of plasma homocysteine levels with vascular involvement in patients with Behcet's syndrome? Clin Exp Rheumatol. 2002; 20(Suppl 26): S30-4.

54. Dougados M, van der Linden S, Juhlin R, Huitfeldt B, Amor B, Calin A, et al. The European Spondylarthropathy Study Group preliminary criteria for the classification of spondylarthropathy. Arthritis Rheum 1991; 34: 1218-27.

55. Khan MA, van der Linden SM. A wider spectrum of spondyloarthropathies. Semin Arthritis Rheum 1990; 20: 107-13.

56. Moll JMH, Haslock I, Macrae IF, Wright V. Associations between ankylosing spondylitis, psoriatic arthritis, Reiter's disease, the intestinal arthropathies, and Behcet's syndrome. Medicine (Baltimore) 1974; 53: 343-64.

57. Chang HK, Cho EH, Kim JU, Herr H. A case of coexisting Behcet's disease and ankylosing spondylitis. Korean J Intern Med 2000; 15: 93-5.

58. Chang HK, Lee DH, Jung SM, Choi SJ, Kim JU, Choi YJ, et al. The comparison between Behcet's disease and spondyloarthritides: does Behcet's disease belong to the spondyloarthropathy complex? J Korean Med Sci 2002; 17: 524-9.

59. Tosun M, Uslu T, Ibrahim Imamoglu H, Bahadir S, Erdolu S, Guler M. Coexisting ankylosing spondylitis and Behcet's disease. Clin Rheumatol 1996; 15: 619-20.

60. Olivieri I, Gemignani G, Busoni F, Pecori F, Camerini E, Trippi D Pasero G. Ankylosing spondylitis with predominant involvement of the cervical spine in a woman with Behcet's syndrome. Ann Rheum dis 1988; 47: 780-3.

61. Beiran I, Scharf J, Dori D, Miller B. A change in ocular involvement in a patient suffering from ankylosing spondylitis and Behcet's disease. Eur J Ophthalmol 1995; 5: 192-4.

62. Borman P, Bodur H, Ak G, Bostan EE, Barca N. The coexistence of Behcet's disease and ankylosing spondylitis. Rheumatol Int 2000; 19: 195-8.

63. Dilsen N, Konice M, Aral O. Why Behcet's disease should be accepted as a seronegative arthritis. In: Lehner T, Barns CG, editors, Recent Advances in Behcet's Disease. London: Royal Society of Medicine Services, 1986: 281-4.

64. Yazici H, Tuzlaci M, Yurdakul S. A controlled survey of sacroiliitis in Behcet's disease. Ann Rheum Dis 1981; 40: 558-9.

65. Chamberlain MA, Robertson RJ. A controlled study of sacroiliitis in Behcet's disease. Br J Rheumatol 1993; 32: 693-8.

66. Maghraoui AE, Tabache F, Bezza A, Abouzahir A, Ghafir D, Ohayon V,et al. A controlled study of sacroiliitis in Behcet's disease. Clin Rheumatol 2001; 20: 189-91.

67. Yurdakul S, Yazici H, Tuzun Y, Pazarli H, Yalcin B, Altac M, Ozyazgan Y, Tuzuner N, Muftuoglu A. The arthritis of Behcet's disease: a prospective study. Ann Rheum dis 1983; 42: 505-15.

68. Yazici H, Turunc M, Özdogan H, Yurdakul S, Akinci A, Barnes CG. Observer variation in grading sacroiliac radiographs might be a cause of 'sacroiliitis' reported in certain disease states. Ann Rheum Dis 1987; 46: 139-45.

69. Olivieri I, Salvarani C, Cantini F. Is Behcet's disease part of the spondyloarthritis complex? J Rheumatol 1997; 24: 1870-2.

70. Mat MC, Nazarbaghi M, Tuzun Y, Hamuryudan V, Hizli N, Yurdakul S, et al. Wound healing in Behcet's syndrome. Int J Dermatol 1998; 37: 120-3.

71. Black KA, Zilko PJ, Dawkins RL, Armstrong BK, Mastaglia GL. Cancer in connective tissue disease. Arthritis Rheum 1982; 25: 1130-3.

72. Barnes BE, Mawr B. Dermatomyositis and malignancy. A review of the literature. Ann Intern Med 1976; 84: 68-76.

73. Canoso JJ, Cohen AS. Malignancy in a series of 70 patients with systemic lupus erythematosus. Arthritis Rheum 1974; 17: 383-90.

74. Cengiz M, Altundag MK, Zorlu AF, Gullu IH, Ozyar E, Atahan IL. Malignancy in Behcet's disease: a report of 13 cases and a review of the literature. Clin Rheumatol 2001; 20: 239-44.

75. Gumber SC, Chopra S. Hepatitis C: a multifaceted disease. Review of extrahepatic manifestations. Ann Intern Med 1995; 123: 615-20.

76. Gordon SC. Extrahepatic manifestations of hepatitis C. Dig Dis 1996; 14: 157-68.

77. Koike K, Moriya K, Ishibashi K, Yotsuyanagi H, Shintani Y, Fujie H, et al. Sialadenitis histologically resembling Sjogren syndrome in mice transgenic for hepatitis C virus envelope genes. Proc Natl Acad Sci 1997; 94: 233-6.

78. Munke H, Stockmann F, Ramadori G. Possible association between Behcet's syndrome and chronic hepatitis C virus infection. N Engl J Med 1995; 332: 400-1.

79. Hamuryudan V, Sonsuz A, Yurdakul S. More on hepatitis C virus and Behcet's syndrome. N Engl J Med 1995; 333: 322.

80. Cantini F, Emmi L, Niccoli L, Padula A, Salvarani C, Olivieri I. Lack of association between chronic hepatitis C virus infection and Behcet's disease. Clin Exp Rheumatol 1997; 15: 338-9.

81. Aksu K, Kabasakal Y, Sayiner A, Keser G, Oksel F, Bilgic A, et al. Prevalences of hepatitis A, B, C and E viruses in Behcet's disease. Rheumatology 1999; 38: 1279-81.

82. Akaogi J, Yotsuyanagi H, Sugata F, Matsuda T, Hino K. Hepatitis viral infection in Behcet's disease. Hepatol Res 2000; 17: 126-138.

Chapter 6

Behcet's disease

검사실 소견 및 질병 활성도
(Laboratory findings and disease activity)

1. 질병 활성도와 관련있는 검사 소견
(Laboratory findings associated wit disease activity)

급성기 반응(acute-phase response)은 세균성 감염, 염증성 질환, 외상, 심근 경색증 및 악성 종양 등의 다양한 자극의 결과이며, 급성기 반응성 단백질은 주로 간세포에서 생성된다. 간세포에서 급성기 반응성 단백질 생성에 가장 중요한 싸이토카인은 IL-6이며, IL-1이나 TNF-α도 관여한다. 염증성 자극이 있는 경우 C-반응성 단백질(C-reactive protein, CRP)과 혈청 amyloid A 단백질 등은 1000배까지 증가할 수 있고, 합토글로빈(haptoglobin)과 섬유소원(fibrinogen)은 2-4배 가량 증가하며, C3는 50-100% 정도 증가할 수 있다. 그러나 알부민과 트랜스페린(transferin)은 오히려 감소하는 경향이 있다. 이러한 급성기 단백질 중 적혈구 침강속도(erythrocyte sedimentation rate, ESR)와 CRP는 류마티스 질환에서 가장 많이 이용되는 검사로, 염증성 관절염의 여부를 선별하는 데 이용되며, 질환의 활성도를 대변해주는 추적검사에도 흔히 이용된다. 그리고 류마티스 관절염에서는 방사선 사진상 골미란의 정도와 상관 관계가 있어 질병의 활성도의 추적 검사뿐만아니라 질병의 중증도나 예후를 예측하는데도 도움이 될 수 있다[1,2].

ESR은 급성기 단백질의 증가를 간접적으로 측정하는 방법으로 주로 섬유소원의 증감이 ESR에 가장 큰 영향을 미치며, 이밖에도 α_2- macroglobulin, 면역글로불린 및 알부민 등이 영향을 줄 수 있다. 염증 자극이 있는 경우 섬유소원은 서서히 증가되고 서서히 감소하기 때문에 염증시 섬유소원의 변화를 간접적으로 측정하는 ESR도 서서히 증가되고 염증이 소실되는 경우 서서히 감소한다. Westergren 법이 추천되며, 성별과 연령에 따라 차이가 있는데, 일반적으로 받아들여지는 정상범위는 남자는 15mm/hr이하이고, 여자는 20mm/hr이하이다. 그러나 나이가 증가함에 따라 증가할 수 있어 40mm/hr정도는 건강한 노령층에서 비교적 흔히 관찰된다. 대략적으로 정상범위의 상한선은 남자는 연령을 2로 나누고 여자는 연령에 10을 더해 2로 나눈다. 또한 빈혈이 있는 경우 증가하고, 적혈구증가증(polycythemia)이나, 적혈구부동증(anisocytosis), 구형적혈구증(spherocytosis)처럼 적혈구의 크기나 형태에 변화가 있으면 감소한다. CRP는 단백질 농도를 직접적으로 측정하여 급성 염증이 있는 경우 2-3일 내에 가장 높은 혈중 농도에 이르며, 염증성 자극이 소실된 경우 비교적 빨리 감소하여 염증 상태를 빨리 반영한다. 성별, 연령, 빈혈 등 다른 요인에 영향을 받지 않고, 정상인의 혈중농도는 대략 0.2 mg/dL 이하이며, 대부분의 류마티스 질환에서 염증 정도에 따라 CRP가 증가되나, 루푸스나 쇼그렌증후군에서는 일반적으로 증가되지 않으며 감염 및 심한 활막염이 동반된 경우에 한하여 CRP의 증가가 관찰된다[1,3].

ESR과 CRP가 활동성 베체트병에서 증가되는 경향이 있으나 침범된 장기에 따라 질병의 활성도와 상관 관계가 일정하지 않으며, 질병의 경과를 추적 관찰하는데도 적합하지 않다. Muftuoglu 등은 ESR과 CRP가 여러 장기를 침범한 활동성 베체트병에서 증가되며, 결정성 홍반, 급성 혈전성 정맥염 및 관절염이 있는 경우 의미있게 증가되나, 구강 궤양, 음부 궤양, 안구 증상, 및 중추신경계 질환에서는 의미있는 증가가 관찰되지 않는다고 보고하였다[4]. Aygunduz 등에 의하면 혈청 amyloid A 단백질, ESR 및 CRP는 활동성 및 비활동성 베체트병 환자 모두에서 대조군에 비해 증가되어 있으나, 혈청 β_2 - microglobulin 만이 활동성 환자에서 비활동성 환자나 대조군에 비해 의미있게 증가되어 있어, 혈청 β_2 - microglobulin이 베체트병의 활동성을 판단할 수 있는 지표라고 하였다[5].

중성구 과반응성이 베체트병의 병인에 중요한 역할을 하는데 IL-8은 다핵 중성구를 활성화시키는 싸이토카인의 하나로 알려져 있으며, 활동성 베체트병 환자에서 비활동성 환자나 건강 대조군에 비해 혈청 IL-8의 증가가 보고되었고[6,7], 독일에서 보고된 한 연구에 의하면 혈청 IL-8은 베체트병 환자에서 구강 궤양의 존재나 질병 활성도와 연관성이 있었으나, ESR과 CRP는 질병 활성도와 연관성이 발견되지 않아, 혈청 IL-8이 ESR이나 CRP보다 베체트병의 질병 활성도에 대해 더 믿을만한 지표라고 보고하였다[8]. 그밖에도 활동성 베체트병 환자에서 IL-6, IL-10, IL-12, IL-17, IL-18, IFN-γ TNF-α, 및 수용성 TNF 수용체-75(soluble TNFR-75) 등의 증가가 관찰된다고 한다[7,9,10].

결론적으로 베체트병의 질병활성도를 효과적으로 반영할 수 있는 믿을만한 검사실 소견은 아직은 없는 실정이다.

2. 항-cardiolipin 항체(Anti-cardiolipin antibodies)

전신성 홍반성 루푸스 등 자가면역질환이나 일차성 항인지질 증후군(primary antiphospholipid syndrome)에서 검출되는 항-cardiolipin 항체는 동맥 혈전증, 정맥 혈전증, 유산, 및 혈소판 감소증 등의 임상 증상과 관련이 있지만, 매독 등 감염성 질환에서 검출되는 항-cardiolipin 항체는 이러한 임상 증상과 관련이 없다고 알려져 있다. 최근 자가면역질환에서 항-cardiolipin 항체가 인지질에 결합하기 위해서는 β_2 - glycoprotein I (GPI)이 필요하며, β_2 - GPI와 관련된 항-cardiolipin 항체가 혈전증, 유산, 및 혈소판 감소증 등과 같은 항인지질 증후군을 유발할 수 있고, 감염과 관련된 항-cardiolipin 항체는 β_2 - GPI가 없이 인지질에 결합하기 때문에 항인지질 증후군과 무관하다고 한다[11-13]. 또한 항-β_2- GPI 항체가 존재하는 경우 전신성 홍반성 루푸스에서 혈전증을 예견하는 더 특이한 지표라고 보고되기도 하였다[14,15].

베체트병에서 항-cardiolipin 항체의 검출 빈도는 인종이나 연구자에 따라 7-47%까지 다양한 빈도로 보고되고 있으며, 망막 혈전증(retinal vasculitis), 홍반성 결절, 활동성 질환이나 심한 질환과 관련이 있다는 보고도 있으나[16-20], 검출되어도 전신성 홍반성 루푸스 환자보다 적은 양이며, 베체트병의 특정 임상 증상이나 병인에 직접관여지는 않는 것으로 보는 것이 타당할 것으로 생각된다. 터키의 Tokay 등은 128명의 베체트병 환자, 20명의 루푸스 환자 및 143명의 건강 대조군을 대상으로 항-cardiolipin 항체의 빈도를 조사하니 베체트병 7%, 루푸스 50%, 및 건강 대조군 5.6%로 베체트병 환자와 대조군 간에 항-cardiolipin 항체의 빈도는 비슷하였으며, 항-cardiolipin 항체의 검출은 베체트병의 특정 임상 증상과 관련이 없다고 보고하였다[19]. 한국의 Kang 등도 47명의 베체트병 환자, 14명의 루푸스 환자, 및 20명의 건강 대조군을 대상으로 항-cardiolipin 항체와 항-β_2-GPI 항체에 대해 조사했는데, 항-cardiolipin 항체의 빈도는 베체트병 25.5%, 루푸스 78.6%, 및 건강 대조군 15%였고, 베체트병 환자에서 항-cardiolipin 항체는 특정 임상증상과 관련이 없을 뿐만 아니라 항체가 검출되는 양이 루푸스 환자보다 훨씬 적었으며, 항-β_2-GPI 항체는 루푸스 환자의 64.3%에서 양성이었으나 베체트병과 건강 대조군에서는 검출되지 않았다. 그래서 이들은 베체트병 환자에서 적은 양의 항-cardiolipin 항체이 검출되고, 항-β_2-GPI 항체도 발견되지 않아, 항-cardiolipin 항체는 베체트병의 병인에 관여하지 않을 것이라고 주장하였다[20].

3. 호모시스테인(Homocysteine)

호모시스테인(homocysteine)은 메티오닌에서 유도된 설파기를 함유하고 있는 필수아미노산의 일종이다. 고호모시스테인혈증(hyperhomocysteinemia)은 당뇨병, 고지혈증, 말기 신부전증, 건선, 및 염증성 대장 질환 등의 질환에서 발견되며 비타민 B12나 엽산 결핍시에도 볼 수 있고, 이러한 고호모시스테인혈증은 죽상경화증(atherosclerosis), 혈전증, 및 혈관 질환의 위험 요인으로 알려져 있다[21-24].

베체트병은 기본 병리학적인 특징이 혈관염으로 원인은 확실하지는 않으나 혈관내피의 장애(endothelial dysfunction)가 혈관염 발생과 관련있는 것으로 추정되고 있는데, 여러 연구자들이 베체트병 환자에서 혈중 호모시스테인 수치가 의미있게 증가되어 있다고 보고하였다[24-28]. 그러나 베체트병에서 혈중 호모시스테인 수치의 증가가 혈전증의 발생과 관련이 있는지는 논란이 있어 혈전증이 있는 베체트병 환자가 없는 환자에 비해 혈중 호모시스테인 수치가 의미있게 높다는 보고도 있지만[24,26] 차이가 없다는 보고도 있는 실정이다[28]. 이러한 고호모시스테인혈증이 혈관내피 기능장애를 유발하여 베체트병의 병인과 혈관염 발생에 기인하는지는 더 연구가 필요한 실정이다.

4. 질병 활성도 임상 지표(Disease activity index)

베체트병의 질병 활성도(disease activity)와 질병 중증도(disease severity)를 잘 반영할 수 있는 적당한 검사실 소견이 없기 때문에 임상 증상에 따른 질병 활성도와 중증도를 평가하여 진료와 연구에 이용되고 있다.

영국의 Bhakta 등은 베체트병의 질병 활성도를 측정할 수 있는 임상 지표(Behcet's Disease Current Activity Forum, BDCAF)를 만들어 질병 활성도를 측정하니, 검사자 간에 차이가 적어 (good interobserver reliability) 임상적으로 사용하기에 적합하다고 주장하였다[29]. Hamuryudan 등은 BDCAF를 터키어로 번역한 후 터키 베체트병 환자들을 대상으로 이 임상 지표의 적합성을 조사하였는데, 구강 궤양, 음부 궤양, 및 안구 질환 등을 평가하는데에는 적합하였으나, 홍반성 결절이나 중추신경계 질환을 평가하기에는 미흡하였고, 전반적인 질병 활성도를 평가하기에도 적합하지 않다고 보고하였다[30]. 이것은 베체트병의 임상 양상이 지역마다 많은 차이가 있어 영국 환자를 대상으로 만든 임상 지표가 다른 지역 환자에서는 일부 맞지 않기 때문일 수 있으며, 또한 BDCAF가 구강 궤양, 음부 궤양, 피부 질환, 관절염, 안구 질환, 및 중추 신경계 질환 등의 평가뿐만 아니라 피로, 두통, 관절통, 구토, 오심, 및 설사 등 여러 비특이적인 증상을 평가하기 때문일 것이라고 생각된다.

한국의 Chang 등은 Yazici 등[31]과 Krauze 등[32]이 보고한 베체트병의 임상 지표를 참고하여 베체트병의 질병 활성도를 평가할 수 있는 새로운 임상 지표를 만들어, 여러 임상 연구에 활용하고 있는데, 이 기준에 의하면 구강 궤양, 음부 궤양, 피부 병변, 단관절 관절염, 및 표재성 혈전정맥염 등 경미한 임상 증상에 1점을 부여하고, 후방 포도막염과 망막 혈관염, 출혈이나 천공을 동반한 위장

표 10. 베체트병의 질병 활성도 임상지표

1. Oral ulceration
   Genital ulceration
   Skin lesions: EN-like lesions, pseudofolliculitis/PPL
   Monoarticular arthritis
   Superficial thrombophlebitis

2. Arthritis involving 2 joints or more
   Anterior uveitis
   Gastrointestinal ulceration without complications
   Small or medium-sized vessel involvement not related to vital organ

3. Posterior uveitis or retinal vasculitis
   Gastrointestinal ulceration with bleeding or perforation
   Major vessel involvement
   Major organ involvement such as brain, lungs, kidney or heart

EN: erythema nodosum; PPL: papulopustular lesion; modified from Chang HK et al. J Korean Med Sci 2002; 17: 371-4.

관 궤양, 중요 혈관 침범, 및 중추 신경, 폐, 신장, 심장 같은 중요 장기 침범이 있는 경우를 가장 심한 임상 증상으로 분류하여 3점을 주었으며, 2개 이상 관절염, 전방 포도막염, 합병증이 없는 위장관 궤양 및 중요 장기와 관련없는 혈관 침범 등을 중간 정도의 질병 활성도를 갖는 임상 증상으로 분류하여 2점을 주었다(표 10)[33].

 참고문헌

1. Ballou SP, Kushner I. Evaluation of Inflammation. In: Ruddy S, Harris ED Jr, Sledge CB, eds. Kelley's Textbook of Rheumatology. 6th ed. p. 697-703, Philadelphia, WB Saunders, 2001.

2. Amos RS, Constable TJ, Crockson RA, Crockson AP, McConkey B. Rheumatoid arthritis: relation of serum C-reactive protein and erythrocyte sedimentation rates to radiographic changes. Br Med J 1977; 1:195-7.

3. Miller A, Green M, Robinson D. Simple rule for calculating normal erythrocyte sedimentation rate. Br Med J 1983; 286: 266.

4. Muftuoglu AU, Yazici H, Yurdakul S, Tuzun Y, Pazarli H, Gungen G, et al. Behcet's disease. Relation of serum C-reactive protein and erythrocyte sedimentation rates to disease activity. Int J Dermatol 1986; 25: 235-9.

5. Aygunduz M, Bavbek N, Ozturk M, Kaftan O, Kosar A, Kirazli S. Serum beta 2-microglobulin reflects disease activity in Behcet's disease. Rheumatol Int 2002; 22: 5-8.

6. Itoh R, Takenaka T, Okitsu-Negishi S, Matsushima K, Mizoguchi M. Interleukin 8 in Behcet's disease. J Dermatol 1994; 21: 397-404.

7. Evereklioglu C, Er H, Turkoz Y, Cekmen M. Serum levels of TNF-alpha, sIL-2R, IL-6, and IL-8 are increased and associated with elevated lipid peroxidation in patients with Behcet's disease. Mediators Inflamm 2002; 11: 87-93.

8. Katsantonis J, Adler Y, Orfanos CE, Zouboulis CC. Adamantiades-Behcet's disease: serum IL-8 is a more reliable marker for disease activity than C-reactive protein and erythrocyte sedimentation rate. Dermatology 2000; 201: 37-9.

9. Hamzaoui K, Hamzaoui A, Guemira F, Bessioud M, Hamza M, Ayed K. Cytokine profile in Behcet's disease patients. Relationship with disease activity. Scand J Rheumatol 2002; 31: 205-10.

10. Turan B, Gallati H, Erdi H, Gurler A, Michel BA, Villiger PM. Systemic levels of the T cell regulatory cytokines IL-10 and IL-12 in Bechcet's disease; soluble TNFR-75 as a biological marker of disease activity. J Rheumatol 1997; 24: 128-32.

11. Forastiero RR, Martinuzzo ME, Kordich LC, Carreras LO. Reactivity to beta 2 glycoprotein I clearly differentiates anticardiolipin antibodies from antiphospholipid syndrome and syphilis. Thromb Haemost 1996; 75: 717-20.

12. McNally T, Purdy G, Mackie IJ, Machin SJ, Isenberg DA. The use of an anti-beta 2-glycoprotein-I assay for discrimination between anticardiolipin antibodies associated with infection and increased risk of thrombosis. Br J Haematol 1995; 91: 471-3.

13. Galli M, Barbui T, Zwaal RF, Comfurius P, Bevers EM. Antiphospholipid antibodies: involvement of protein cofactors. Haematologica 1993; 78: 1-4.

14. Pengo V, Biasiolo A, Brocco T, Tonetto S, Ruffatti A. Autoantibodies to phospholipid-binding plasma proteins in patients with thrombosis and phospholipid-reactive antibodies. Thromb Haemost 1996; 75: 721-4.

15. Swadzba J, De Clerck LS, Stevens WJ, Bridts CH, van Cotthem KA, Musial J, et al. Anticardiolipin, anti-beta(2)-glycoprotein I, antiprothrombin antibodies, and lupus anticoagulant in patients with systemic lupus erythematosus with a history of thrombosis. J Rheumatol 1997; 24: 1710-5.

16. Hull RG, Harris EN, Gharavi AE, Tincani A, Asherson RA, Valesini G, et al. Anticardiolipin antibodies: occurrence in Behcet's syndrome. Ann Rheum Dis 1984; 43: 746-8.

17. Pereira RM, Goncalves CR, Bueno C, Meirelles Ede S, Cossermelli W, de Oliveira RM. Anticardiolipin antibodies in Behcet's syndrome: a predictor of a more severe disease. Clin Rheumatol 1989; 8: 289-91.

18. Zouboulis CC, Buttner P, Tebbe B, Orfanos CE. Anticardiolipin antibodies in Adamantiades-Behcet's

disease. Br J Dermatol 1993; 128: 281-4.

19. Tokay S, Direskeneli H, Yurdakul S, Akoglu T. Anticardiolipin antibodies in Behcet's disease: a reassessment. Rheumatology 2001; 40: 192-5.

20. Kang HJ, Lee YW, Han SH, Cho HC, Lee KM. Anticardiolipin and anti-beta2-glycoprotein I antibodies in Behcet's disease. J Korean Med Sci 1998; 13: 400-4.

21. Clarke R. Commentary: an updated review of the published studies of homocysteine and cardiovascular disease. Int J Epidemiol 2002; 31: 70-1.

22. Chamberlain KL. Homocysteine and cardiovascular disease: a review of current recommendations for screening and treatment. J Am Acad Nurse Pract 2005; 17: 90-5.

23. Glueck CJ, Shaw P, Lang JE, Tracy T, Sieve-Smith L, Wang Y. Evidence that homocysteine is an independent risk factor for atherosclerosis in hyperlipidemic patients. Am J Cardiol 1995; 75: 132-6.

24. Aksu K, Turgan N, Oksel F, Keser G, Ozmen D, Kitapcioglu G, et al. Hyperhomocysteinaemia in Behcet's disease. Rheumatology 2001; 40: 687-90.

25. Er H, Evereklioglu C, Cumurcu T, Turkoz Y, Ozerol E, Sahin K,et al. Serum homocysteine level is increased and correlated with endothelin-1 and nitric oxide in Behcet's disease. Br J Ophthalmol 2002; 86: 653-7.

26. Lee YJ, Kang SW, Yang JI, Choi YM, Sheen D, Lee EB, et al. Coagulation parameters and plasma total homocysteine levels in Behcet's disease. Thromb Res 2002; 106: 19-24.

27. Ozdemir R, Barutcu I, Sezgin AT, Acikgoz N, Ermis N, Esen AM, et al. Vascular endothelial function and plasma homocysteine levels in Behcet's disease. Am J Cardiol 2004; 94 : 522-5.28. Korkmaz C, Bozan B, Kosar M, Sahin F, Gulbas Z. Is there an association of plasma homocysteine levels with vascular involvement in patients with Behcet's syndrome? Clin Exp Rheumatol 2002; 20(Suppl 26): S30-4.

29. Bhakta BB, Brennan P, James TE, Chamberlain MA, Noble BA, Silman AJ. Behcet's disease: evaluation of a new instrument to measure clinical activity. Rheumatology 1999; 38: 728-33.

30. Hamuryudan V, Fresko I, Direskeneli H, Tenant MJ, Yurdakul S, Akoglu T, et al. Evaluation of the Turkish translation of a disease activity form for Behcet's syndrome. Rheumatology 1999; 38: 734-6.

31. Yazici H, Tuzun Y, Pazarli H, Yurdakul S, Ozyazgan Y, Ozdogan H, et al. Influence of age of onset and patient's sex on the prevalence and severity of manifestations of Behcet's syndrome. Ann Rheum Dis 1984; 43: 783-9.

32. Krause I, Uziel Y, Guedj D, Mukamel M, Harel L, Molad Y, et al. Childhood Behcet's disease: clinical features and comparison with adult-onset disease. Rheumatology 1999; 38: 457-62.

33. Chang HK, Cheon KS. The clinical significance of a pathergy reaction in patients with Behcet's disease. J Korean Med Sci 2002; 17: 371-4.

진단과 감별진단
(Diagnosis and differential diagnosis)

1. 진단기준과 분류기준
(Diagnostic criteria and classification criteria)

진단기준은 말 그대로 진단에 이용될 수 있는 기준이나 현재 임상에서 이용되고 있는 여러 류마티스 질환들의 기준은 엄밀한 의미에서 진단기준이 아니고 분류기준이다. 현재 진단에 많이 이용되고 있는 1997년에 개정된 전신성 홍반성 루푸스의 기준이나[1] 1987년에 개정된 류마티스 관절염의 기준[2]도 진단기준이 아니고 분류기준이다. 분류기준은 항상 그 기준을 특정 질환의 분류에 이용했을 때 민감도(sensitivity)와 특이도(specificity)가 표시되어 있는데, 예를 들어 어떤 질환에 대한 분류기준의 민감도와 특이도가 각각 90%이면 그 기준를 진단이나 분류에 이용했을 때 환자의 10%는 그 질환으로 분류가 될 수 없고, 환자가 아닌 사람도 10%는 그 질환으로 분류가 될 수 있다는 의미이다. 그래서 대부분의 분류기준을 만든 목적은 특정 질환의 진단에 이용되기 위해서가 아니고 임상 연구나 역학 조사 등의 연구를 할 때 균일한 조건을 가진 환자군을 모으기 위해서다. 분류기준의 민감도와 특이도가 아주 높다면 진단에도 이용될 수 있으나 일반적인 분류기준을 진단에 이용했을 때 환자의 일부는 항상 잘못 진단될 수가 있다. 따라서 진단에 결정적인 임상 증상이나 검사 소견이 없는 질환을 진단할 때 분류기준에 너무 의존하는 것보다는 환자의 제반 문제를 모두 고려할 수 있는 경험있는 의사에 의해 진단을 내리는 것이 가장 바람직하다[3].

2. 베체트병의 분류기준
(Classification criteria for Behcet' s disease)

베체트병은 진단에 결정적으로 도움이 되는 임상 증상이나 검사 소견이 없기 때문에 베체트병의 임상 소견 중 진단적 가치가 높은 항목으로 이루어진 분류기준을 진단에 많이 이용하고 있다. 1969년 Mason과 Barnes가 베체트병의 진단에 이용할 수 있는 기준을 처음 발표한 이래[4], 일본 베체트병 연구위원회(Behcet' s Disease Research Committee of Japan, Japanese criteria, 일본 기준)[5], O' Duffy[6], Zhang[7] 그리고 Dilsen[8] 등의 베체트병 기준이 베체트병의 진단과 연구에 널리 이용되었는데, 연구자마다 사용하는 기준이 다르다보니 여러 지역에서 발표된 연구 결과들을 비교하기가 힘들뿐만아니라 균일한 집단의 환자군에 대한 연구나 역학 조사 등을 하기가 힘들었다. 이에 1985년 런던에서 개최된 3차 베체트병 세계학회에서 베체트병 국제연구그룹(International Study Group for Behcet' s Disease, ISGBD)이 결성되어 국제적으로 통일된 기준을 만들기로 하고 연구를 진행해 1990년 베체트병 국제기준(International Study Group criteria)을 발표하였는데[9], 이 기준을 만든 목적은 개별 환자를 진단하기 위함이 아니고, 임상 연구나 교육을 위해 균일한 환자군을 얻기 위함이었다. 즉 베체트병 국제기준은 진단기준이아니고 분류기준이라고 할 수 있다.

3. 베체트병 국제기준(International Study Group criteria)

베체트병의 국제기준을 만들기 위한 연구에 참여한 7개 나라 12개 센터에서 914명(이란 366명, 터키 285명, 일본 141명, 튀니지 50명, 영국 21명, 미국 14명, 그리고 프랑스 9명)의 베체트병 환자를 대상으로 조사를 하였는데, 이들 환자의 진단은 연구자가 가장 친밀하게 사용하는 기준을 이용하여 연구에 참여한 임상 의사의 결정에 의해 이루어졌다. 반복성 구강 궤양이 베체트병의 진단에 필수적이라고 주장되었기 때문에, 이 당시 반복성 구강 궤양이 없는 베체트병 환자가 3%였는데 이들은 연구에서 제외하였으며, 베체트병과 유사한 임상 증상을 가진 전신성 홍반성 루푸스, 류마티스 관절염, 강직성 척추염, 및 건선성 관절염이 있는 308명의 환자들 중 반복성 구강 궤양을 가진 97명을 대조군으로 하였다. 연구 집단을 대상으로 베체트병의 여러 임상 소견에 대한 진단적 가치를 계산해보니 음부 궤양이 진단적 가치가 가장 높았고, 안구 병변, 피부 병변, 및 페설지 반응 등이 진단적 가치가 비교적 높았지만 다른 임상 소견들은 진단적 가치가 낮아, 진단적 가치가 높은 임상 소견들로 베체트병의 국제기준을 만들어 발표하였으며, 오늘날까지 베체트병의 연구에 가장 많이 이용되고 있다. 이 기준에 의하면 반복성 구강 궤양은 필수 조건이며 음부 궤양, 안구 병변, 피부 병변, 및 페설지 반응 양성 등 4가지 중 2가지 이상이 있으면 베체트병으로 분류

표 11. 베체트병 국제기준

Recurrent oral ulceration	Minor aphthous, major aphthous, or herpetiform ulceration observed by physician or patients, which recurred at least 3 times in one 12-month period
Plus 2 of	
Recurrent genital ulceration	Aphtous ulceration or scarring, observed by physician or patient
Eye lesions	Anterior uveitis, posterior uveitis, or cell in vitreous in slit lamp examination; or retinal vasculitis observed by ophthalmologist
Skin lesions	Erythema nodosum observed by physician or patient, pseudofolliculitis, or papulopustular lesions; or acneiform nodules observed by physician in postadolescent patients not on corticosteroid treatment
Positive pathergy test	Read by physician at 24-48 h

Reprinted from International Study Group for Behcet's Disease (ISGBD). Lancet 1990; 335: 1078-80.

할 수 있게 되어있다(표 11)[9,10].

4. 베체트병 일본 기준(Japanese criteria)

1974년 일본 베체트병 연구위원회에 의해 베체트병 진단기준이 처음 발표되었고[5], 1987년 개정되었는데(표 12)[11], 이 기준의 특징은 안구 증상을 강조하였으며, 베체트병의 진단이나 분류를 용의형(suspected type), 불완전형(incomplete type), 그리고 완전형(complete type)으로 단계적으로 할 수 있는 것이 특징이다. 1987년 개정된 일본 기준에는 가능형(possible type)이 제외되었고, 일본 기준을 이용하는 경우 불완전형과 완전형을 베체트병으로 분류하여 임상 진료와 연구에 이용되고 있다.

5. 베체트병 기준의 문제점과 국내 현황(Problems related to classification criteria of Behcet's disease and Korean situation)

베체트병의 국제기준은 여러 지역의 연구자에 의해 타당성이 입증되었지만[12-15] 이 기준을 만들 당시 연구에 참여한 환자의 대부분이(86.7%) 이란, 터키, 그리고 일본 등 페설지 양성 반응의 빈도가 높은 지역의 환자였기 때문에 페설지 반응의 양성률이 낮은 지역에서는 국제기준의 진단 정확도가 낮을 수 있으며[9,10], 구강 궤양이 없는 환자들을 뿐만 아니라 베체트병 환자의 13.5-27%는 구

표 12. 베체트병의 개정된 일본기준

1. Major criteria
   1) Recurrent aphthous ulcerations of the oral mucous membrane
   2) Skin lesions (any of the four)
      (a) Erythema nodosum
      (b) Subcutaneous thrombophlebitis
      (c) Folliculitis, acne-like lesions
      (d) Cutaneous hypersentivity
   3) Ocular lesions (any of the three)
      (a) Iridocyclitis
      (b) Chorioretinitis, retino-uveitis
      (c) Definite history of (a) and/or (b)

2. Minor criteria
   1) Arthritis without deformity and ankylosis
   2) Epididymitis
   3) Gastro-intestinal lesions characterized by ileocaecal ulcers
   4) Vascular lesions compatible with Behcet' s disease
   5) CNS symptoms compatible with Behcet' s disease

3. Diagnosis
   1) Complete type
      Four major symptoms apparent during the clinical course
   2) Incomplete type
      (a) Three major symptoms or two major and two minor symptoms
      (b) Typical ocular symptoms and another major symptom or two minor symptoms apparent during the clinical course
   3) Suspected type
      Some major symptoms apparent but not fulfilling the above two, or typical
      minor symptoms recurred
   4) Subtypes
      (a) Intestinal Behcet' s disease
      (b) Vascular Behcet' s disease
      (c) Neuro-Behcet' s disease

4. Findings helpful in diagnosis
   1) Cutaneous needle reaction
   2) Inflammatory reaction: rise in ESR, positive CRP, and increase in number of peripheral WBC
   3) HLA-B51 (B5)

Reprinted from Mizushima Y. Int J Tissue React 1988; 10: 59-65.

강 궤양이 다른 임상 증상에 비해 늦게 나타날 수 있는데[16-18] 이러한 환자들을 베체트병으로 진단하거나 분류하지 못하는 문제점이 제기되었다. 또한 최근의 연구에서는 이러한 문제점 이외에도 구강 궤양의 빈도가 일년에 3회 이상 나타나지 않는 최근에 발생한 급성 환자나 위장관 베체트병 환자의 일부를 베체트병으로 분류하지 못하는 문제점도 제기되었다[19,20].

일본 기준의 문제점은 중추신경계 병변, 혈관 병변, 관절염 및 부고환염 등 우리나라에서는 빈도가 낮고 진단적 가치가 크지 않은 임상 소견을 포함하고 있고, 반복성 구강 궤양, 피부 병변 및 페설지 반응이 양성인 환자들은 베체트병 환자일 가능성이 많은데 이러한 환자들을 용의형으로 밖에는 분류하지 못해 국제기준에 비해 국내 환자에서는 진단적 정확도가 떨어지는 문제들이 제기되었으며[19], 일본 기준은 안구 병변의 존재를 특히 강조해서 안구 병변과 한 개 이상은 다른 주증상이 있으면 불완전형 베체트병으로 분류할 수 있도록 되어 있는데, 일반인에서도 반복성 구강 궤양이나 구진성 농포/가성모낭염 등이 비교적 흔하게 올 수 있어 안구 병변이 있으면서 구강 궤양이나 피부 병변이 있으면 불완전형 베체트병으로 과도하게 분류될 수 있는 문제점도 제기되었다[20].

Chang 등은 베체트병의 국제기준이 발표된 1990년부터 2000년까지 국내 베체트병 환자를 대상으로 발표된 연구에 이용된 진단(분류) 기준에 대해 조사했는데, 이기간 중 모두 51편의 논문이 59개의 베체트병 분류기준을 이용하였는데 34편은 일본 기준을 사용하였고, 21편은 국제기준을 이용하였으며, 나머지 4편은 기타 다른 기준을 논문에 적용하고 있었다(그림 75). 또한 1990년대 초반에는 대부분의 연구에서 일본기준이 이용되었고 1990년대 후반으로 갈수록 국제기준의 이용이 늘었지만 여전히 일본기준도 많이 이용되고 있었으며(그림 76), 일본기준을 이용한 연구들 중 베체트병 환자라고 단정지을 수 없는 가능형이나 용의형을 만족하는 환자들도 연구군에 포함시켜(그림 77), 국내 베체트병 연구에 이용되고 있는 기준이 통일되지 못해 연구의 결과들을 서로 비교하기 힘들고 각 센터나 연구자 간에 통합된 연구를 시행하는데 어려움을 겪는다고 보고하였다(가능형: 구강 궤양, 음부 궤양, 피부 증상 및 안구 병변 중 한가지만 있는 경우)[19].

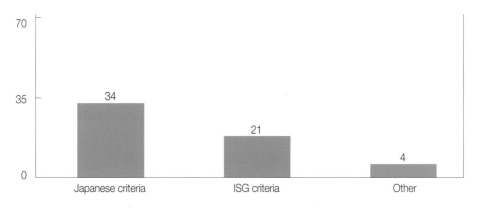

그림 75. 한국 베체트병 관련 논문에 사용된 분류기준

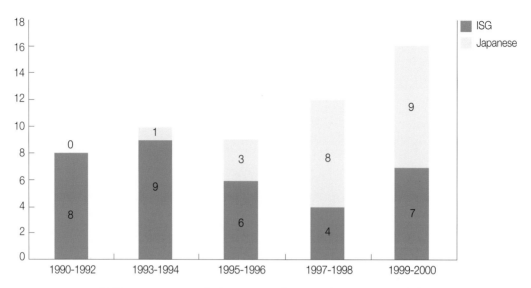

그림 76. 1990년 이후 한국에서 사용되는 베체트병 기준의 현황

ISG: The number of articles to use the criteria of the International Study Group; Japanese: the number of articles to use the criteria of the Behcet's Disease Research Committee of Japan (Reprinted from Chang HK et al. J Korean Med Sci 2003; 18: 88-92).

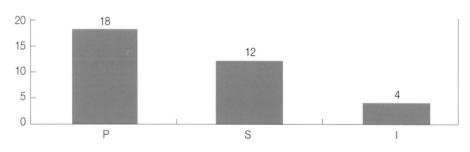

그림 77. 일본 기준을 사용한 34편 논문의 분석

P: possible type, 가능형; S: suspected type, 용의형; I: incomplete type, 불안전형.

6. 새로이 제기된 베체트병 예비기준과 감별진단 (A modified set of preliminary criteria for Behcet's disease and differential diagnosis)

베체트병의 국제기준과 일본기준이 앞서 기술된 것처럼 여러 문제점이 제기되었고 국내 베체트병 환자를 진단하거나 분류하기에 충분히 않다고 판단되어 Chang 등은 70명의 베체트병 환자와 70명의 베체트병과 임상 소견이 유사한 질병대조군을 대상으로 국제기준이 만들어질 당시와

같은 방법으로 베체트병의 각 임상 소견에 대한 진단적 가치를 계산하니 음부 궤양이 가장 진단
적 가치가 높았고, 피부 병변, 페설지 반응, 반복성 구강 궤양, HLA-B51 양성, 안구 병변, 및 회맹
부 궤양 등의 순서로 진단적 가치가 비교적 높았으며, 중추신경계 병변, 혈관 질환, 말초 관절염,
및 부고환염 등은 진단적 가치가 미미하여(표 13), 진단적 가치가 양호한 임상 소견 중 음부 궤양
은 2점을 부여하고, 반복성 구강 궤양, 피부 병변, 안구 병변, 페설지 반응, 및 회맹부 궤양에는 각
각 1점씩을 주어 3점 이상이면 베체트병으로 분류하게 하였다. 그리고 지역적 차이가 많은 HLA-
B51은 진단이나 분류시 단지 참고 사항으로 하고 기준의 항목에서는 제외하였다(베체트병 예비
기준, 표 14). 새로이 제시된 예비기준의 특징은 음부 궤양을 강조하여 음부궤양과 다른 항목이
하나 이상이면 베체트병으로 분류할 수 있으며, 국제기준과 달리 구강 궤양이 필수 조건이 아니
기 때문에 구강 궤양이 없는 환자나 구강 궤양의 빈도가 1년에 3회 이하인 환자도 분류할 수 있고,
국내에 비교적 빈도가 높은 회맹부 궤양을 동반한 베체트병 환자를 더욱 잘 분류할 수가 있다. 또
한 페설지 양성 반응의 빈도가 낮은 지역에서 전형적인 음부궤양 및 구강 궤양만 있는 비교적 경
미한 환자들도 베체트병으로 분류할 수가 있다[19].

　　Chang 등이 새로이 제시한 기준의 특이도를 높이기 위해서는 음부 궤양을 동반한 환자를 정확
히 진단하는 것이 중요한데, 베체트병의 음부 궤양은 아주 특징적이어서 경험있는 의사는 어렵지
않게 알아낼 수 있으며(4장 참조), 다른 질환에서는 베체트병에서 볼 수 있는 특징적인 음부 궤양

표 13. 베체트병의 각 임상 증상에 대한 민감도, 특이도, log-likelihood ratio 및 expected weight of evidence 결과

Feature	Sensitivity	Specificity	Log-likelihood ratio		Expected weight of evidence
			Feature present	Feature absent	
Genital ulcers	77.1	98.6	40.1	-14.6	34.2
Skin lesions	85.7	74.3	12.0	-16.5	12.7
Pathergy reaction	34.3	97.1	24.7	-3.9	11.1
Recurrent oral ulcers	97.1	57.1	8.2	-29.8	8.9
HLA-B51	50.0	83.3	11.0	-5.1	8.1
Ocular lesions	21.4	95.7	16.0	-2.0	5.1
Ileocecal ulcers	15.7	98.6	24.2	-1.6	5.1
CNS lesions	4.3	97.1	3.9	-0.1	0.3
Vascular lesions	5.7	95.7	2.8	-0.1	0.3
Peripheral arthritis	22.9	75.7	-0.6	0.2	0
Epididymitis	2.9	98.6	7.3	-0.2	0.4

Reprinted from Chang HK et al. J Korean Med Sci 2003; 18: 88-92.

표 14. 새로이 제시된 베체트병 예비기준

Clinical Features	Score
1. Recurrent genital ulcerations 　Painful aphthous ulceraton or scarring confidently 　detected by physician or patient 　The exclusion of genital ulcerations associated with 　herpes genitalis, chancre, or chancroid	2
2. Recurrent oral ulcerations 　Painful aphthous ulceration confidently detected by 　physician or patient	1
3. Skin lesions 　a) Erythema nodosum-like lesions confidently 　detected by physician or patient 　b) Pseudofollicullitis or papulopustular lesions only 　detected by physician with the exception of lesions 　related with puberty or corticosteroid therapy	1
4. Ocular lesions 　Anterior uveitis, posterior uveitis or retinal vasculitis 　diagnosed by ophthalmologist	1
5. Pathergy reaction 　Papule or pustule observed by physician at 48 hour, 　done by intradermal prick with 20-22 gauze disposable 　needle	1
6. Ileocecal ulcerations 　The exclusion of inflammatory bowel diseases or 　intestinal tuberculosis	1

Behcet's disease can be classified or diagnosed when the score is 3 or greater; finding helpful for classification or diagnosis: HLA-B51; reprinted from Chang HK et al. J Korean Med Sci 2003; 18: 88-92 and Chang HK et al. Clin Exp Rheumatol 2004 22(4 Suppl 34): S21-6.

을 동반하는 경우는 아주 드물다. 구강 궤양과 음부 궤양만을 동반한 환자를 베체트병으로 진단할 수 있는지는 논란의 여지가 있는데 특징적인 음부 궤양을 동반한 환자는 대부분 베체트병일 가능성이 아주 높다고 생각된다[19,20]. 페설지 양성 반응이 잘나오지 않는 지역이나 최근 일회성 주사바늘(disposable needle)의 사용으로 페설지 반응의 양성률이 많이 감소되어 구강 궤양이나 음부 궤양만을 동반한 환자가 국제기준이나 일본기준을 이용하면 베체트병으로 진단되거나 분류될 수 없는데, 새로이 제시된 기준을 적용하면 베체트병으로 분류할 수 있다.

　새로이 제시된 기준을 만들 당시 이 기준과 기존의 베체트병 기준(국제기준과 일본기준)의 진단적 타당성을 비교한 연구에서 진단 정확도는 새로이 제시된 기준 97.1%, 국제기준 94.3%, 및 일본기준 90.7%로 새로이 제시된 기준의 진단 정확도가 가장 높았으며(표 15)[19], 국내 7개 대학병원

표 15. 베체트병 각 기준에 대한 타당성 조사 결과

Criteria	Sensitivity (%)	Specificity (%)	Accuracy (%)
ISG	91.4	97.1	94.3
Jap	85.7	95.7	90.7
Mod	97.1	97.1	97.1

ISG: the criteria of the International Study Group for Behcet's Disease; Jap: the criteria of the Behcet's Disease Research Committee of Japan; Mod: a modified set of preliminary criteria; reprinted from Chang et al. J Korean Med Sci 2003; 18: 88-92.

표 16. 베체트병 각 기준에 대한 7 개 3차 병원의 타당성 조사 결과

Criteria	Sensitivity (%)	Specificity (%)	Accuracy (%)
ISG	79.4	99.4	89.8
Jap	80.6	95.3	88.3
Mod	94.2	98.1	96.3

ISG: the criteria of the International Study Group for Behcet's Disease; Jap: the criteria of the Behcet's Disease Research Committee of Japan; Mod: a modified set of preliminary criteria; reprinted from Chang HK et al. Clin Exp Rheumatol 2004; 22(4 Suppl 34): S21-6.

에 내원한 155명의 베체트병 환자들을 대상으로 한 연구에서도 새로이 제시된 기준 96.3%, 국제기준 89.8%, 및 일본기준 88.3%로 새로이 제시된 기준의 진단 정확도가 가장 높게 나왔는데(표 16)[20], 새로이 제시된 기준이 다른 나라의 베체트병 환자에 적용했을 때 타당한지에 대해서는 더 연구가 필요할 것으로 생각된다. 표 17은 베체트병의 각 기준을 만족하지 않는 베체트병 환자들의 임상적 특징을 보여주고 있으며, 표 18은 베체트병의 각 기준을 만족하는 질병 대조군의 임상적 특징을 보여주고 있다[20].

베체트병 이외에 음부 병변을 동반할 수 있는 원인으로는 성기헤르페스(genital herpes), 1차 매독인 경성하감(chancre), 연성하감(chancroid) 등의 성병과 반응성 관절염 등이 있는데, 성기헤르페스는 병변이 생길부위에 먼저 작열감이 있고 이어서 그룹을 이룬 수포나 농포가 생기며 통증을 동반하고 단순포진 바이러스에 대한 혈청검사가 진단에 도움이 된다. 경성하감은 무통성의 경화된 궤양(indurated ulcer)이 생기고 딱딱하고 무통성의 서혜부 임파선종대가 자주 동반되는데 *Treponema pallidum*에 대한 혈청검사가 진단에 도움이 될 수 있다. 연성하감은 통증이 있고 경계가 깨끗하지 않은 궤양이 특징이며 역시 통증을 동반한 서혜부 임파선종대가 나타날 수 있고, *Hemophilus ducrei*에 대한 배양검사나 중합효소연쇄반응이 진단에 도움이 될 수 있다. 반응성 관절염에서는 음경의 귀두나 몸통부위에 환상귀두염(circinate balanitis)이라는 특징적인 병변이 생

표 17. 베체트병 환자군에서 각 기준을 만족하지 않는 환자들의 임상적 특징

	ISG n = 32	Jap n = 30	Mod n = 9
ROU + GU	14	14	
ROU + GU + GI	3	3	
ROU + GU + GI + arthritis	1		
ROU + skin lesions + PPR	4		
ROU + skin lesions + VL	1	1	1
ROU + skin lesions + CNS	1	1	1
ROU + skin lesions + GI	1	1	
ROU + skin lesions + GI + VL	1		
ROU + skin lesions + arthritis	2	2	2
ROU + GI	2	2	2
ROU + VL + CNS	1	1	1
ROU + ocular lesions + arthritis	1	1	
Patients without ROU	2		
Skin lesions + PPR + arthritis*	1*	1	1
Acute cases	2		

ISG: the criteria of the International Study Group for Behcet's Disease; Jap: the criteria of the Behcet's Disease Research Committee of Japan; Mod: a modified set of preliminary criteria; ROU: recurrent oral ulcerations; GU: genital ulcerations; GI: gastrointestinal ulcerations; PPR: positive pathergy reaction; VL: vascular lesions; CNS: central nervous system lesions; *counted to patients without ROU; acute cases: acute disease patients with fewer than 3 ROU relapses in a 1-year period. Reprinted from Chang HK et al. Clin Exp Rheumatol 2004; 22(4 Suppl 34): S21-6.

길 수 있는데 대부분 통증을 동반하지 않으며, 포경수술을 받지 않은 경우에는 요도 구멍(urethral meatus)을 둘러싼 뱀모양의 얕은 궤양이 발생하고, 포경수술을 받은 환자에서는 건조하고 판상의 각화증을 동반한 각질피부증(keratoderma)이나 건선과 유사한 병변을 볼 수 있다[19,21].

회맹부를 가장 잘 침범하는 장 베체트병(intestinal Behcet's disease)과 감별을 요하는 염증성 대장 질환(inflammatory bowel disease)과 장 결핵에 대해서는 4장에 자세히 기술되어 있다. 또한 새로이 제시된 기준에서는 음부 궤양이 있는 경우 성기헤르페스, 경성하감, 및 연성하감에 의한 음부 궤양을 제외해야 하며, 회맹부 궤양의 경우에는 염증성 대장 질환과 장결핵을 배제하도록 되어 있다. 또한 관절염, 결절성 홍반, 및 포도막염 등 베체트병과 유사한 임상 증상을 갖는 유육종증(sarcoidosis)도 베체트병과 감별이 필요한데, 베체트병 기준에 대한 여러 연구들에서 대조군에 유육종증을 포함시키지 않았기 때문에, 향후 대조군에 유육종증을 포함하여 여러 베체트병 기준이 타당한지에 대해서도 더 연구가 필요할 것으로 생각된다.

표 19는 베체트병과 감별이 필요한 질환들을 베체트병의 임상 증상별로 정리하였다.

표 18. 베체트병 각 기준을 만족하는 질병 대조군의 임상적 특징

Patient	Diagnosis	Clinical features	ISG	Jap	Mod
1	Sjgren syndrome	ROU + GU + PPL	+	+	+
2	SLE	ROU + GU	-	-	+
3	SLE	ROU + GU + arthritis	-	-	+
4	AS	Uveitis + PPL	-	+	-
5	AS	Uveitis + PPL	-	+	-
6	AS	ROU + uveitis	-	+	-
7	AS	ROU + uveitis	-	+	-
8	Reactive arthritis	ROU + uveitis + arthritis	-	+	-
9	Psoriatic arthritis	Uveitis + PPL + arthritis	-	+	-
10	SLE	ROU + PPL + arthritis + CNS	-	+	-

ISG: the criteria of the International Study Group for Behcet's Disease; Jap: the criteria of the Behcet's Disease Research Committee of Japan; Mod: a modified set of preliminary criteria; ROU: recurrent oral ulcerations; GU: genital ulcerations; PPL: papulopustular lesions; CNS: central nervous system lesions; + or -: meet or do not meet the criteria; SLE: systemic lupus erythematosus; AS: ankylosing spondylitis. Reprinted from Chang HK et al. Clin Exp Rheumatol 2004; 22(4 Suppl 34): S21-6.

표 19. 베체트병의 각 임상 증상별로 감별진단이 필요한 질환군

Recurrent oral ulcerations	Crohn's disease
	Reactive arthritis
	Systemic lupus erythematosus
	HIV infection (AIDS)
	Sweet's syndrome
Genital ulcerations	Genital herpes
	Chancre
	Chancroid
	Reactive arthritis
Erythema nodosum	Infections: Streptococcal infection, tuberculosis, syphilis
	Drugs: sulfonamide, penicillin, oral contraceptive
	Chronic inflammatory diseases: sarcoidosis, ulcerative colitis, Crohn's disease
Positive pathergy reaction	Pyoderma gangrenosum, Sweet's syndrome
Intestinal ulcerations	Crohn's disease
	Ulcerative colitis
	Intestinal tuberculosis
Arthritis	Spondyloarthropathy
CNS lesions	Multiple sclerosis

 참고문헌

1. Hochberg MC. Updating the American College of Rheumatology revised criteria for the classification of systemic lupus erythematosus. Arthritis Rheum 1997; 40: 1725.

2. Arnett FC, Edworthy SM, Bloch DA, McShane DJ, Fries JF, Cooper NS, et al. The American Rheumatism Association 1987 revised criteria for the classification of rheumatoid arthritis. Arthritis Rheum 1988; 31: 315-24.

3. Fries JF, Hochberg MC, Medsger TA Jr, Hunder GG, Bombardier C: Criteria for rheumatic disease. Different types and different functions. Arthritis Rheum 1994; 37: 454-62.

4. Mason RM, Barnes CG: Behcet's syndrome with arthritis. Ann Rheum Dis 1969; 28: 95-103.

5. Behcet's Disease Research Committee of Japan. Behcet's disease: guide to diagnosis of Behcet's disease. Jpn J Ophthalmol 1974; 18: 291-4.

6. O' Duffy JD. Criteres proposes pour le diagnostic de la maladie de Behcet et notes therapeutiques. Rev Med 1974; 36: 2371-9.

7. Zhang X-Q. Chin J Intern Med 1980; 19: 15-20.

8. Dilsen N, Konice M, Aral O. Our diagnostic criteria for Behcet's disease: an overview. In: Lehner T, Barnes CG, Editors, Recent advances in Behcet's disease. London: Royal Society of Medicine Services: International Congress and Symposium Series 103, 1986: 177-80.

9. International Study Group for Behcet's Disease (ISGBD). Criteria for diagnosis of Behcet's disease. Lancet 1990; 335: 1078-80.

10. International Study Group for Behcet's Disease. Evaluation of diagnostic ('classification') criteria in Behcet's disease--towards internationally agreed criteria. Br J Rheumatol 1992; 31: 299-308.

11. Mizushima Y. Recent research into Behcet's disease in Japan. Int J Tissue React 1988; 10: 59-65.

12. O'Neill TW, Rigby AS, Silman AJ, Barnes C: Validation of the International Study Group criteria for Behcet's disease. Br J Rheumatol 1994; 33: 115-7.

13. Ferraz MB, Walter SD, Heymann R, Atra E: Sensitivity and specificity of different diagnostic criteria for Behcet's disease according to the latent class approach. Br J Rheumatol 1995; 34: 932-5.

14. Heyman RE, Ferraz MB, Goncalves CR, Atra E: Evaluation of the International Study Group for Behcet's Disease Criteria in Brazilian patients. Clin Rheumatol 1995; 14: 526-30.

15. Tunc R, Uluhan A, Meliko?lu M, Ozyazgan Y, Özdogan H, Yazici H: A reassessment of the International Study Group criteria for the diagnosis (classification) of Behcet's syndrome. Clin Exp Rheumatol 2001; 19 (Suppl 24): S45-7.

16. Güler A, Boyvat A, Türsen Ü. Clinical manifestations of Behcet's disease: an analysis of 2147

patients. Yonsei Med J 1997; 38: 423-7.

17. Zouboulis CC, Kotter I, Djawari D, Kirch W, Kohl PK, Ochsendorf FR, Keitel W, Stadler R, Wollina U, Proksch E, Sohnchen R, Weber H, Gollnick HP, Holzle E, Fritz K, Licht T, Orfanos CE. Epidemiologial features of Adamandiades-Behcet' s disease in Germany and in Europe. Yonsei Med J 1997; 38: 411-22.

18. Bang D, Yoon KH, Chung HG, Choi EH, Lee ES, Lee S. Epidemiological and clinical features of Behcet's disease in Korea. Yonsei Med J 1997; 38: 428-36.

19. Chang HK, Kim SY. Survey and validation of the criteria for Behcet's disease recently used in Korea: a suggestion for modification of the International Study Group criteria. J Korean Med Sci 2003; 18: 88-92.

20. Chang HK, Lee SS, Bai HJ, Lee YW, Yoon BY, Lee CH, et al. Validation of the classification criteria commonly used in Korea and a modified set of preliminary criteria for Behcet's disease: a multi-center study. Clin Exp Rheumatol 2004; 22(4 Suppl 34): S21-6.

21. Lucas DJ, Buntin DM. Approach to the patient with sexually transmitted disease. In: Freedberg IM, Eisen AZ, Wolff K, Austen KF, Goldsmith LA, Katz SI, Fitzpatrick TB, editors, Dermatology in general medicine. New York: McGraw-Hill, 1999; 2547-51.

Chapter **8**

Behcet's disease

치료 (Treatment)

베체트병의 치료는 침범된 장기와 질병의 심한 정도에 따라 환자마다 적절한 치료를 선택해야 한다. 과거부터 여러 가지 약물이 치료에 사용되고 있으며, 최근에 이러한 약제 중 일부에 대한 대조연구(controlled study)의 결과가 보고되었으나, 아직도 많은 부분이 경험적인 치료에 의존하고 있으며, 전문가들 사이에서도 어떤 치료가 최선인지에 대해서 많은 논란이 있다. 이 중 대표적인 것으로는 "1) 주요장기의 침범이 없지만 심한 경과를 보이는 경향이 있는 젊은 남자에서 주요 장기의 침범을 막기 위해 아자티오프린 같은 면역억제제의 예방적인 투여가 필요한가? 2) 심부 정맥 혈전증의 치료에 혈액응고제의 사용이 필요한가? 3) 스테로이드제재가 망막 혈관염(retinal vasculitis)이나 만성 진행성 뇌실질 질환의 치료에 필요한가? 4) 안과 정기검진에서 안구의 유리체 (vitrea)에 염증세포가 약간 있는 경우 적극적인 치료가 필요한가?" 등이 있다[1]. 그리고 최근 여러 약물 및 면역억제제의 적절한 사용으로 베체트병의 치료 성적이 향상되고 있으나, 중추신경계나 큰 혈관의 침범이 있는 경우 아직 만족할 만한 치료의 결과를 얻지 못하는 실정이다[2,3]. 또한 전신 적으로 부신피질 호르몬제를 사용하는 것은 여러 장기의 병변을 완화시키고 이환기간을 단축시 킬 수는 있으나, 장기적으로 사용하는 것에 대해서는 질병 경과에 효과적이라는 증거가 없고 부작용을 고려할 때 일반적으로 추천되지는 않는다. 침범된 장기별로 경험적인 치료와 대조연구가 이루어진 방법 등을 정리하고자 한다.

1. 국소 요법(Local therapy)

1) 국소 스테로이드제(topical and intralesional corticosteroids)

구강 궤양이나 음부 궤양의 병변부위에 스테로이드제재를 도포하는 것이 증상을 완화시키는데 도움이 되는데 가급적 궤양 발생의 초기에 바르는 것이 바람직하다[4]. 그리고 젤 형태로 만들어진 class 1이나 II 같은 강력한 제재를 하루에 5-10회 바르는 것이 추천되고, 궤양이 심한 경우에는 간혹 triamcinolone (5mg/ml)을 병변부에 직접 주사하기도 한다[5]. 또한 음부 궤양에는 항생제와 스테로이드의 복합제재가 사용되기도 한다[6]. 지속적인 단관절염(monoarticular arthritis)이 있는 경우에는 triamcinolone acetonide나 methyprednisolone acetate의 관절강내 주사가 효과적이고[7], 전방 포도막염(anterior uveitis)만 있는 경우에는 스테로이드제와 산동제(mydriatics)만을 안구에 국소적으로 투여할 수 있으며, 후방 포도막염의 급성기에 일부의 환자에 전신적인 면역억제제 투여와 함께 스테로이드제를 안구에 주사하기도 한다[8]. 또한 최근에 기존의 약물 요법에 반응하지 않는 심한 장궤양을 동반한 베체트병 환자의 장간막 동맥에 스테로이드를 직접 투여한 후 장궤양이 급격히 호전된 예가 보고되었다[9].

2) Sucralfate 현탁액(Sucralfate suspension)

Sucralfate 현탁액은 궤양 조직의 병변부에 위산에 대한 보호막을 형성함으로써 소화성 궤양의 치료에 이용되고 있다. Ratten 등은 무작위 이중검맹(randomized, double-blind) 위약대조 (placebo-controlled) 교차(cross-over)법을 이용하여 반복성 아프타성 구내염(recurrent aphthous stomatitis, RAS)의 병변부에 sucralfate 현탁액을 면봉으로 하루 4번 바른 후, RAS가 현저히 호전됨을 보고하였고[10], Alpsoy 등은 무작위 이중검맹 위약대조법으로 베체트병 환자의 구강 궤양에 sucralfate 현탁액 5 ml를 하루 4회 1-2분간 입안을 헹구도록(oral rinse) 하였고, 음부 궤양에는 면봉으로 하루 4회 병변부에 바르도록 하여, 구강 궤양과 음부 궤양이 위약을 사용한 환자에 비해 현저히 호전됨을 보고하였다[11].

3) 테트라사이클린(tetracycline)

테트라사이클린 250mg을 물 5cc에 녹여 구강 궤양이 있는 부위에 하루 4번씩 2분간 물고 있거나, 치아의 착색을 막기 위해 물 180cc에 테트라사이클린 250mg을 녹여 사용하는 것이 경험적으로 구강 궤양의 치유를 도와준다고 보고되고 있다[2,3,8].

4) 기타 약제(Other agents)

5% Amlexanox oral paste가 구강 궤양의 통증을 경감시키고 치유를 촉진시킨다고 보고되었고[12], Difflam (benzydamine hydrochloride)과 Corsodyl (chlorhexidine gluconate)이 구강 궤양의 통증을 경감시킬 수 있다고 알려져 있다[13]. 또한 크기가 큰 음부 궤양에 recombinant human granulocyte/macrophage-colony stimulating factor를 주사하면 궤양의 치유를 촉진한다고 보고되었다[14].

2. 전신 요법(Systemic therapy): 치료 약제 중심으로

1) 스테로이드(Corticosteroids)

베체트병의 여러 증상에 경구 스테로이드제의 사용은 널리 이용되고 있으나, 고용량을 장기간 사용했을 때 많은 부작용이 초래되며, 심한 안구 질환의 치료에 증상 완화 효과는 있지만 장기간 투여하는 경우 예후에는 도움이 되지 않는다. 또한 질병의 진행을 막는데 효과적이라는 객관적인 증거가 없어[4,8], 심한 장기 침범이 있는 경우 고용량은 가능하면 단기간 사용하고 유지용량이 필요한 경우에는 필요한 최소한의 용량만을 사용해야 한다. 그리고 다른 약제에 반응하지 않는 구강 궤양, 음부 궤양, 및 피부 증상에 경구 스테로이드제가 사용되는 경우에는 저용량을 단기간 사용하는 것이 추천된다[5]. 또한 심한 중추신경계 침범, 안구 침범 및 다른 주요 장기의 침범이 있는 경우에는 면역억제제와 함께 methyprednisolone 정맥 펄스 요법이 사용되기도 한다[2,4].

2) 콜히친(Colchicine)

1975년부터 베체트병의 치료에 널리 이용되고 있는 약물로, 논란이 있으나 중성구 주화성(neutrophil chemotaxis)을 억제하여 효과를 나타내는 것으로 알려져 있다[15]. 1980년 베체트병에 대한 콜히친의 최초 대조연구가 발표되었는데, 약물을 투여한 후 6개월에 홍반성 결절과 관절통만이 유의한 효과가 있음을 보여주었다[16]. 그리고 최근에 실시된 이중검맹 위약대조법을 통한 연구에서 여자 환자에서는 음부 궤양, 홍반성 결절, 및 관절염에 현저한 효과를 나타냈으나, 남자 환자에서는 단지 관절염에만 효과가 있었다. 그리고 구강 궤양에는 유의한 효과가 없었다[17]. 이 연구는 비교적 잘 계획된 연구지만, 베체트병을 치료하는 많은 의사들은 콜히친이 구강 궤양의 치유나 재발을 막는다고 믿고 있으며, 실제 임상에 구강 궤양의 치료에 많이 사용하고 있는 실정이어서, 좀더 많은 환자를 대상으로 한 연구가 필요할 것으로 생각된다. 또한 베체트병의 임상 증상이 많은 지역적인 차이를 보여주고 있어[7,8], 약물에 대한 인종간의 반응 차이에 대한 연구도 고려되어야 할 것 같다.

또한 콜히친이 전방 및 후방 포도막염을 예방하는데 효과가 있을 것이라는 주장도 있으며[8], 베체트병의 여러 증상을 치료하기 위하여 다른 약제와 병용하여 많이 사용되고 있으나 아직 이에 대한 객관적인 증거는 없다. 콜히친은 치료 용량(0.6-1.8 mg/day)에서는 상당히 안전한 약물이며, 이러한 용량으로 올 수 있는 부작용으로는 복통, 설사, 구토 등의 위장관 증상이 대부분이고, 과용량을 투여한 경우에는 골수억제, 신부전, 탈모, 심한 설사, 간기능 부전, 파종혈관내응고 (disseminated intravascular coagulation), 경련, 혼수, 사망 등의 부작용이 있을 수 있다. 또한 콜히친이 미세관(microtubule)에 억제작용을 통해 세포분화를 막는 작용 때문에, 젊은 남녀에 장기간 투여하는 경우 불임이나 수태율을 저하시킬 수도 있다는 우려가 있으나, 치료용량에서는 그럴 가능성은 희박하다고 한다[15]. 그러나 가임기 연령의 환자에게 장기간 콜히친을 투여하는 경우에는 최소한의 유지 용량을 사용하는 것이 바람직하리라고 생각된다.

3) 답손(Dapsone)

여러 피부과 질환에 사용되고 있는 약물로 1984년 이라크의 Sharquie[18]가 처음으로 7명의 베체트병을 가진 남자 환자에서 답손의 치료 효과를 보고하였고, 최근에 같은 그룹[19]이 이중검맹 위약 대조 교차법으로 답손이 베체트병의 구강 궤양, 음부 궤양, 및 피부 증상에 효과적이고 페설지 검사의 결과도 억제한다고 보고하였으며, 답손을 투여 받은 환자들에서 다른 전신 증상도 예방하는 효과가 있을 것이라고 암시하였으나, 이들의 연구는 참여한 환자 수가 적고 추적 관찰한 기간이 6개월로 짧아서, 답손의 효과에 대한 확실한 결론을 내리기는 아직 힘들 것으로 생각된다.

베체트병에 대한 답손의 작용기전은 아직 불확실하나 중성구의 기능을 억제하는 작용으로 설명되고 있다[19]. 그리고 사용되는 치료 용량(50-100 mg/day)에서는 비교적 안전한 약물이나, 이 용량에서 가장 흔한 부작용은 용혈성 빈혈이다. 이는 glucose-6-phosphate dehydrogenase (G6PD)가 결핍된 환자에서 잘 발생할 수 있기에, 사용 전 G6PD의 검사가 필요하며, G6PD가 정상인 경우에도 혈색소가 감소되는 경우가 보고되고 있어[5], 사용 전후 혈중 혈색소에 대한 검사가 추천된다. 다량을 복용한 경우에는 methemoglobinemia가 올 수 있으며, 그 밖에도 위장 장애, 두통, 소양감, 말초신경염, 신증후군, 발열, 및 피부발진 등의 부작용이 보고되고 있다.

4) 탈리도미드(Thalidomide)

처음에는 진정제로 판매되었으며, 신생아에 심각한 기형유발(teratogenecity) 때문에 1961년 판매가 금지되었던 약물로, 여러 질환에서 효과가 인정되면서 다시 사용되고 있으며, 정확한 기전은 불확실하나 TNF-α의 분비를 억제하고 혈관형성(angiogenesis)을 막아 면역억제 효과를 나타낸다고 알려져 있다[20].

1979년에 아프타성 궤양에 이 약물의 효과가 처음으로 보고되었고[21], 경험적인 치료를 통해 베체트병의 구강 및 음부 궤양, 피부 병변, 장궤양, 및 포도막염에 대한 효과가 관찰되었다[2]. 최근에 피부점막 증상만을 가진 96명의 베체트병 환자를 대상으로 이중검맹 위약대조법을 이용한 연구에서 구강 궤양, 음부 궤양, 및 모낭 병변(follicular lesions)에 탁월한 효과를 보여주었고, 효과는 하루 100 mg을 투여한 군과 하루 300 mg을 투여한 군 간에 비슷하였기 때문에 탈리도미도가 치료약으로 선택된 경우 하루 100mg의 용량이 추천된다. 그러나 이러한 효과는 약물을 투여하는 동안에는 지속되었으나, 약물을 중단한 직후 베체트병의 피부점막 증상이 재발하였으며 홍반성 결절은 오히려 더 악화되었다[22].

기형형성 때문에 이 약물은 남자환자와 자궁절제술이나 난관결찰술을 받은 여자환자에 국한되어 사용되어야 한다. 그리고 다발성 신경증(polyneuropathy)이 또 다른 중요한 부작용으로 14-50% 가량에서 발생하며 사용된 용량과 관계가 있다. 조기에 진단되지 않으면 회복이 안될 수도 있어 6개월 간격으로 신경전도 검사가 필요하고, 특히 여자환자와 노령층에서 잘 발생한다고 한다. 또한 대부분의 환자에서 진정효과가 나타날 수 있다. 그래서 탈리도미드는 다른 약물에 반응하지 않는 구강 궤양이나 음부 궤양 환자에게 국한되어 사용되어야 하고, 이 경우 부작용에 대한 철저한 감시가 필요하다[5,20,22-25].

5) 펜톡시필린(Pentoxifylline)

Yasui 등은 펜톡시필린이 베체트병 환자에서 항진된 중성구 주화성을 정상화시키고, 중성구로부터 과산화물 음이온(superoxide anion, O_2^-)의 생성을 억제 시킴을 증명하였으며, 3명의 환자에게 300mg을 하루 두차례 투여하여 구강 궤양, 음부 궤양, 및 포도막염 등의 증상이 호전됨을 아울러 보고하였다[26]. 이 약물은 과민반응을 제외하고는 심각한 부작용은 없다고 알려져 있으나, 위장장애를 호소하는 환자가 많아 실제 임상에 사용하는데 어려움이 있다.

6) 인터페론 알파(Interferon alfa)

베체트병의 병인에 단순포진 바이러스 같은 바이러스가 관여할 수도 있다는데 착안하여, Tsambaos 등이 처음으로 3명의 베체트병 환자에서 좋은 효과를 보고하였다. 이 약물은 항바이러스 효과뿐만 아니라, 면역조절기능, 환자에서 감소된 natural killer 세포의 활성도를 항진시키는 효과 및 신생혈관 증식을 억제하는 작용 등에 의해 베체트병에 치료 효과가 나타나리라고 생각되고 있으며[27], Zouboulis와 Orfanos는 1986년부터 1997년 사이에 문헌상에 보고된 144명의 환자에 대한 인터페론 알파의 치료 효과를 종합하여 보고하였는데, 피부점막 증상 74%, 포도막염 95%, 그리고 관절염은 93%에서 증상이 호전되었으며, 인터페론 알파 2a가 인터페론 알파 2b에 비해 치료 효과가 탁월하였다. 부작용은 일시적인 인플루엔자와 유사한 증상과 백혈구감소증 외에는 심각한 부작용은 없었으며, 3개월간 인터페론 알파 2a 900만 단위를 1주에 3회 피하주사하고 그 이후에는 300만 단위를 1주에 3회 주사할 것을 추천하였다[28]. 최근에 인터페론 알파 2a, 600만 단위, 1주 3회를 3개월간 투여한 이중검맹 위약대조법을 이용한 연구에서, 이 약물을 투여한 군은 위약을 투여한 군에 비해 구강 및 음부 궤양, 피부 증상, 관절염 그리고 안구 질환이 호전됨을 보고하였다[29].

그러나 인터페론 알파 사용시 주의사항으로는 약물을 중단한 후 재발되는 환자가 많다는 것과[28,29], 만성 골수성 백혈병 환자에 인터페론 알파를 투여한 후 베체트병의 임상증상이 발생하거나 폐설지 검사가 양성인 환자가 보고되었고[30,31], 또한 만성 C형 간염 환자에 이 약물을 투여한 후 허혈성 망막증(ischemic retinopathy)이 발생한 예가 보고된 것[32] 등이 있다.

7) 사이클로스포린(Cyclosporine)

한 연구에 의하면 베체트병으로 인한 심한 안구 질환이 있으면서 치료 받지 않은 환자를 3.6년 간 경과관찰을 하니 이 중 90% 가량에서 실명을 하였다고 하며[33], 오늘날에도 심한 안구 질환이 있는 경우 효과적인 치료에도 불구하고 20% 가량은 시력을 잃는다고 한다. 사이클로스포린은 CD4 임파구(특히 Th 1 세포)의 기능을 억제하여, IL-2의 생성을 감소시키는 약물로, 콜히친, 스테로이드, 아자티오프린, 및 사이클로포스파마이드 등 기존의 약제에 반응하지 않는 베체트병 안구 증상의 70-80%에서 효과가 보고되고 있으며[8,34], 지금까지는 베체트병의 안구 질환 중 후방 포도막염(posterior uveitis)과 망막 혈관염(retinal vasculitis) 등 심한 안구 병변에 작용시간이 빠르고 가장 효과 있는 약물로 생각되고 있다[35].

베체트병에 의한 심한 안구 질환이 있는 환자에 하루 사이클로스포린 8.6 mg/kg만을 준 군과 저용량 사이클로스포린 (6.2 mg/kg/day) 및 프레드니솔론을 병용 투여 한 군간의 치료 효과를 비교한 연구에서, 처음 3개월 간에는 프레드니솔론과 사이클로스포린을 병용 투여한 군이 사이클로스포린만을 단독 투여한 군에 비해 효과가 우수하였으나, 1년 후에는 2군 간에 효과의 차이가 없었다. 그러나 사이클로스포린 단독 투여군에서 더 많은 부작용이 발생하여, 저용량 사이클로스포린과 프레드니솔론의 병용투여가 효과적이고 부작용이 적은 치료라고 하였다[36]. 또한 사이클로스포린을 하루 5 mg/kg을 준 군과 사이클로포스파마이드 매월 정맥 펄스 치료한 군을 비교한 연구에서는 사이클로스포린군에서 첫 6개월 간 월등한 치료 효과가 관찰되었지만 사이클로포스파마이드군에서는 이러한 효과가 관찰되지 않았으며, 이후 2년간 경과 관찰을 하니 사이클로스포린군의 치료 효과는 시간이 가면서 감소되었다[37]. 또한 한가지 면역억제제에 반응이 없는 안구 질환이 있는 환자에서 사이클로스포린과 아자티오프린의 병합치료도 고려될 수 있으며[7], 저자들은 안구 질환에서 사이클로스포린의 치료 효과가 6개월이 지나면 감소하는데 착안하여, 후방 포도막염이 있는 14명의 환자에 첫 6개월간 하루 사이클로스포린 5 mg/kg, 프레드니솔론 1 mg/kg (1개월 내 하루 5 mg으로 감량), 및 콜히친 1.2 mg으로 관해를 유도한 후 나머지 18개월간 하루 아자티오프린 1-2 mg/kg, 저용량 프레드니솔론, 및 콜히친으로 관해를 유지하는 치료를 하여 좋은 치료 성적을 보고하였다[38]. 그러나 14명 중 3명에서 사이클로스포린에서 아자티오프린으로 약을 바꾸는 과정에서 포도막염이 재발하여, 약 3개월 간 사이클로스포린과 아자티오프린을 병용한 후 나머지 기간 동안 효과적으로 아자티오프린으로 치료할 수 있었다(비출간 자료).

부작용으로는 신독성, 고혈압, 및 다모증 등이 있으며, 신독성은 용량을 줄이거나 약을 중단하면 없어지는 경우가 대부분이고, 고혈압이 발생하는 경우에는 혈압약으로 잘 조절된다. 특히 신독성을 줄이기 위해서는 하루 5 mg/kg이하의 용량과 환자의 혈 중 크레아틴 수치보다 30% 이상 올라가지 않도록 하는 노력이 필요하다[39]. 또한 사이클로스포린은 다른 질환에서는 신경계 독성을 유발하는 합병증이 드무나, 베체트병 환자에서는 20-30%에서 베체트병에 의한 중추신경계 질환과 구별할 수 없는 증상이 발생할 수 있어, 베체트병에 의한 신경계 증상이 있는 환자에서는 투여하지 않는 것이 바람직하며, 이 약물을 사용하는 경우 신경계 증상이 발생하는지 면밀한 관찰이 필요하다[8,40,41]. 그러나 이러한 신경계 부작용은 주로 일본에서 보고되고 있어 인종간 약물에 대한 민감도 차이인지는 확실하지 않다.

8) 아자티오프린(Azathioprine)

경험적인 치료로 베체트병의 여러 증상에 효과가 보고되었으며, Yazici 등에 의한 이중검맹 위약대조법을 이용한 연구에서 아자티오프린을 투여한 군은 대조군에 비해 구강 궤양, 음부 궤양 및 관절염이 적게 발생하였고, 안구 질환이 발생하지 않은 환자나 한쪽 안구에만 침범된 환자에서 새로운 안구 질환을 예방하는 효과가 있었으며, 아자티오프린으로 인해 심각한 부작용이 발생한 환자는 없었다[42]. 또한 이 연구 후 환자들을 증상에 맞게 치료하면서 약 94개월(±10 개월) 동안 추적 관찰하였는데, 아자티오프린을 투여한 군에 비해 위약을 투여한 군에서 안구외 증상도 더 빈번히 발생하였고, 안구 질환이 계속 진행되어 실명된 환자가 많았으며(40% vs. 13%), 신경계 침범, 혈관 침범, 및 사망의 경우도 많았다. 그래서 이들은 안구 질환이 있는 환자에서는 조기에 아자티오프린의 투여가 필요하고, 심한 경과를 보여주는 젊은 연령의 남자 환자에 안구 질환이 발생하기 전에 면역억제제의 예방적 투여에 대해 고려할 필요가 있다고 주장하였다[43]. 또한 최근 또 다른 연구에서는 위장관 베체트병 환자에서 아자티오프린을 수술 전 투여한 군과 투여하지 않은 군 간에 수술적 치료가 필요한 비율에는 차이가 없었으나, 위장관 베체트병으로 수술을 받은 환자에 투여하는 경우 재수술의 위험을 줄일 수 있다고 보고하였다[44].

아자티오프린은 면역억제제 중 부작용이 비교적 적은 약제이나 개개인 유전자 다형성과 연관된 thiopurine methyltransferase (TPMT) 활성도의 차이로 부작용이 발생할 수 있는 것으로 알려져 있는데, TPMT 혈중 농도가 낮은 환자에서는 하루 1-2 mg/kg의 치료용량에서도 골수억제를 유발할 수 있다. 가장 흔한 부작용으로는 위장 장애로 환자의 10%까지 나타나며, 혈구감소증, 간기능 이상, 췌장염, 및 과민반응 등의 부작용도 간혹 발생할 수 있어, 주기적으로 혈액검사 및 간기능 검사 등이 필요하다.

9) 설파살라진(Sulfasalazine)

베체트병에서 설파살라진의 사용은 경험적인 치료에 의존하고 있다. 베체트병에 의한 회장결장부 궤양의 치료는 염증성 대장질환의 치료에 준해서 하고 있으며, 설파살라진과 스테로이드가 주로 사용되고 있다. 또한 설파살라진은 비스테로이드성 진통소염제에 잘 반응하지 않는 베체트병의 관절염에도 사용할 수 있다[8]. 그리고 설파살라진은 장에서 5-aminosalicylic acid (5-ASA)와 sulphapyridine으로 분해되며, 5-ASA가 염증성 대장질환에 효과를 나타내는 성분이라고 믿고 있는데, 최근 5-ASA 제재인 메살라진(mesalazine)을 투여하여, 식도 궤양이 치유된 예가 보고되었다[45]. 그리고 저자들은 활동성 회장결장부 궤양이 있는 환자에 하루 설파살라진 2-3 g, 프레드니솔론 0.5

mg/kg (1개월 내 하루 5 mg까지 감량) 및 콜히친 1.2 mg을 투여하고, 조직검사상 심한 혈관염이 있는 환자에 사이클로포스파마이드를 3-6개월간 병용투여하여 좋은 치료성적을 거두었고[38], 또한 저용량 프레드니솔론, 설파살라진, 및 콜히친을 투여하여 치료된 식도 궤양 환자를 보고하였다[46].

설파살라진의 투여 용량은 500 mg 하루 2회 투여부터 시작해서 점차 증량하여 하루 2 g이 적정 용량이다. 부작용은 치료 시작 후 2-3개월 내에 잘 발생하는데, 가장 심각한 것이 백혈구감소증이다. 이는 1-3% 가량에서 합병할 수 있는데 치료 시작 후 6개월 내 나타날 수 있고 그 이후에는 드문데, 용량을 감량하거나 투약을 중단하면 대부분 회복된다. 그 외에도 구역, 구토 및 복통 등의 위장 증상과, 피부발진, 광과민성, 두통 등의 부작용이 발생할 수 있다.

10) 사이클로포스파마이드(Cyclophosphamide)

베체트병에서 사이클로포스파마이드의 효능을 입증한 대조연구는 아직 없으나, 중추신경계의 심한 혈관염이나 주요장기의 혈관염이 있는 경우 스테로이드 제재와 함께 많이 사용되고 있는 약물이며, 베체트병에 병발된 동맥류 환자에 투여하여 좋은 효과도 보고되었다[28].

골수억제에 의한 혈구감소증, 감염, 출혈성 방광염과 방광의 악성종양, 불임, 폐섬유화증 등 부작용이 다른 면역억제제제에 비해 많은 약제여서 선택에 신중을 기해야 하며, 경구 투여(2 mg/kg)가 정맥펄스 요법(500-750 mg/m², 한달간격 생리식염수에 섞어 6회 투여)보다 부작용이 많다. 치료를 시작하는 경우 환자에게 약제 투여 필요성과 부작용을 충분히 설명하고 혈액검사, 간기능검사, 신장기능 검사, 및 소변검사를 주기적으로 하고 가급적 약물 사용에 경험있는 의사에 의해 투여되는 것이 바람직하다. 약제를 정맥으로 투여하는 경우에는 방광 부작용을 최소화하기 일반적으로 메스나(mesna)를 같이 투여한다. 또한 대부분 스테로이드를 같이 투여하는데 감염 발생 가능성을 줄이기 위해 함께 사용하는 스테로이드의 용량을 꼭 필요한 최소용량으로 하는 것도 중요하다.

11) 클로람브실(Chlorambucil)

경험적인 치료를 통하여, 심한 안구나 중추신경계 질환이 있는 환자에 과거에는 사용되던 약물로 다른 치료 약제에 비해 부작용이 많아 최근에는 많이 사용되고 있지 않으며, 일부 전문가는 부작용 때문에 베체트병의 치료에 더 이상 사용해서는 안 된다고 주장하고 있다[2].

12) 비스테로이드성 진통소염제(Nonsteroidal anti-inflammatory agents)

베체트병의 관절염은 대부분 변형이나 골파괴를 일으키지 않고, 일과성인 경우가 많아 비스테로이드성 진통소염제 및 콜히친 투여만으로 효과적으로 조절될 수 있다[8]. 그러나 베체트병의 급성 관절염 환자에 아자프로파존(azapropazone)을 3주간 투여한 이중검맹 위약대조법을 이용한 연구에서는 아자프로파존을 투여한 군과 위약을 투여한 군간에 급성 관절염을 조절하는데 차이가 없었다고 보고되어 베체트병에 병발된 관절염의 경과에 비스테로이드성 진통소염제의 역할에 대해 더 연구가 필요한 실정이다[47].

13) 종양괴사인자 차단제 (TNF blockers)

베체트병은 종양괴사인자 (tumor necrosis factor, TNF)를 포함한 Th 1 유형 임파구에서 분비되는 싸이토카인에 의해 매개되는 질환으로 생각되고 있으며, TNF를 과분비하는 수용체를 표현하는 단핵구와 T 임파구의 증가가 활동성 베체트병 환자에서 발견되었다. 이에 베체트병 환자에 TNF 차단제가 사용되었는데, 2001년 기존의 치료 약제에 반응하지 않는 11 증례(심한 피부 점막 증상 환자 2명, 위장관 질환 환자 3명, 그리고 실명위기의 심한 안구 질환 환자 6명)에 인프릭시맵 (infliximab, 상품명: 레미케이드)을 사용하여 현저한 증상의 호전을 보인 것이 문헌에 보고되었으며, 기존의 약제에 비해 효과가 신속하였고, 아직까지 심각한 부작용은 보고되지 않았다[48]. 또한 저자도 베체트병에 의한 회장말단부 궤양의 천공으로 수술 받은 후 문합부에 발생한 궤양을 치료하기 위해 프레드니솔론, 설파살라진, 콜히친, 및 아자티오프린 등의 병합요법을 하였으나 치유되지 않고, 프레드니솔론을 15 mg/day 이하로 감량이 힘들었으며, 치료에 반응하지 않는 우하복부의 심한 통증으로 재수술의 위험이 있는 환자에 인프릭시맵 4 mg/kg를 정맥주사하여 2주내 증상이 현저히 호전되고 프레드니솔론을 5 mg/day까지 감량한 환자를 경험하였다.

최근 Ohno 등은 기존 치료에 반응하지 않는 포도망막염(uveoretinitis)이 합병한 13명의 베체트병 환자에 인프릭시맵을 투여하여 안질환의 재발을 막고 효과적으로 치료되었다고 보고하였다[49]. Melikoglu 등은 이중검맹법으로 피부점막 증상이 있는 베체트병 환자에게 이터너셉트 (etanercept, 상품명: 앤브렐)를 4주간 투여하였는데 페설지 반응 결과에는 영향을 주지 않았지만 피부점막 증상에 현저히 치료효과가 있음을 보고하였고[50], 중추신경계통을 침범한 환자에서도 인프릭시맵의 치료효과가 보고되었다[51].

종양괴사인자 차단제는 기존치료에 반응하지 않는 피부점막 증상, 안구 질환, 장 궤양, 및 중추신경계 병변 등 베체트병의 여러 임상 증상에 효과가 보고되고 있으나 종양괴사인자가 염증 반응에 관여할 뿐만 아니라 감염을 방어하는 역할도 하기 때문에 종양괴사인자가 차단됨으로써 감염에 노출될 가능성이 높다. 특히 종양괴사인자가 결핵 면역에 중요한 역할을 하기 때문에 치료 도중 결핵이 발생되었거나 재발된 여러 증례들이 보고되고 있어 결핵이 문제가 되고 있는 우리나라에서는 특별한 주의가 필요하다. 또한 급성 감염에서는 종양괴사인자 차단제 사용을 피해야 되고, B형 간염이나 C형 간염 보균자에서 종양괴사인자 차단제 사용에 대한 결론이 나오기 전까지 각별한 주의가 필요하겠다. 그밖에도 종양괴사인자차단제 투여로 올 수 있는 부작용으로는 주사부위반응, 정맥주사반응(주로 인프릭시맵 사용시 보고되고 있는데, 두드러기, 소양증, 안면홍조, 호흡곤란, 및 아나필릭시스), 탈수초질환(demyelinating disorder), 심부전, 악성종양 및 루푸스 유사증상 등이 있다.

일반적인 용법과 용량은 류마티스 관절염의 치료에 준하고 있는데, 인프릭시맵은 3 mg/kg를 생리식염수 200cc에 섞어 2시간 이상 정맥주사하며 처음 주사 후 2주 후에 주사하고 그 후에는 8주 간격으로 주사하며, 이터너셉트는 25 mg을 일주에 2회 피하 주사한다. 그러나 아직 베체트병에 종양괴사인자 차단제 사용의 표준화된 지침이 없고, 베체트병의 임상 증상이 시간이 지나면서 완화되기 때문에 환자에 따라 주사 기간이나 횟수를 조정하는 것이 바람직할 것으로 생각된다.

14) 기타 약제(Other agents)

베체트병에 의한 혈전성정맥염(thrombophlebitis)은 전색(embolization)이 되지 않는다고 생각되고 있어, 항응고제(anticoagulant)의 사용에는 논란이 있으며, 폐동맥류가 있는 경우에는 출혈 위험 때문에 항응고제의 투여는 금기이다. 혈관의 혈전성 폐쇄가 있는 경우 일반적으로 저용량 aspirin같은 항혈소판 제재와 필요한 경우 아자티오프린 등의 면역억제제 사용이 추천된다[2,52]. 또한 베체트병의 병인에 연쇄상구균이 관여할 것이라는 가설을 바탕으로, 벤자틴 페니실린(benzathine penicillin)과 콜히친의 병합요법이 콜히친 단독 투여보다 피부점막 증상과 관절염에 더 효과적이라는 연구가 있으며[53,54], 3개월간 미노사이클린(minocycline) 100 mg을 투여하니 베체트병의 피부점막 증상이 호전되었다는 보고도 있다[55]. 메소트렉세이트(methotrexate)는 류마티스 관절염에 가장 많이 사용되며 효과적인 항류마티스 약물 중의 하나지만, 기존 약제에 반응하지 않는 베체트병의 관절염 치료에 효과적이라는 객관적인 보고는 아직 없다. 그러나 가장 심각한 중추신경계 질환의 하나인 서서히 진행하는 치매(slowly progressive dementia)에 저용량의 메소트렉세이트가 효과적이라는 연구가 있다[56]. 그리고 사이클로스포린과 작용기전이 유사한 FK-506 (tacrolimus)이 난치성 안구 질환에 효과적이라는 보고도 있다[2].

3. 전신요법(Systemic therapy): 침범된 장기 중심으로

베체트병의 치료는 침범된 장기와 질병의 심한 정도에 따라 환자마다 적절한 치료를 선택해야 한다. 침범된 장기별로 경험적인 치료와 대조연구가 이루어진 방법 등을 정리하고자 한다(표 20).

1) 피부 점막 병변(mucocutaneous lesions)

일차적으로 선택할 수 있는 약물로 스테로이드 국소 도포, 콜히친 0.6 mg qd 또는 bid, 및 답손 25-50 mg bid 등이 있는데 이들 약물은 필요에 따라 단독 혹은 병합하여 사용할 수 있다. 구강 궤양이나 음부 궤양에 스테로이드를 국소에 도포하는 경우 전에 기술된 것처럼 젤 형태로 만들어진 강력한 제제를 가급적 병변의 발생 초기에 하루 4회 이상 사용하는 것이 바람직하다. 피부 점막 증상에 가장 많이 사용하는 약물인 콜히친의 사용으로 환자의 약 50% 이상에서 병변이 호전되며 콜히친만으로 잘 조절되지 않는 경우 답손을 콜히친과 병용하여 투여해 볼 수 있다. 병변이 심한 경우 프레드니솔론 등의 스테로이드 제제를 경구로 같이 투여할 수 있는데, 스테로이드 제제는 가급적 적은 용량으로 단기간 투여하는 것이 바람직하다. 이러한 약물로도 병변이 잘 조절되지 않고 프레드니솔론을 중단하기 힘든 환자에서 아자티오프린을 하루 1-2 mg/kg을 투여할 수 있다. 그밖에 피부 점막 병변에 사용해볼 수 있는 약제로 인터페론 알파와 탈리도미드 등이 있는데, 인터페론 알파는 국내에서 베체트병의 치료에 보험 적용이 되지 않아 사용하기 힘들며, 탈리도미드는 어느 정도의 효과는 인정되나 부작용을 고려하여 사용이 꼭 필요하다고 판단되는 경우에 한해 투여해야 되고 부작용에 대한 철저한 감시가 필요하다.

2) 관절염(Arthritis)

베체트병의 관절염 증상은 대부분 일시적인데, 비교적 심하고 오래 지속되는 경우 비염증성 소염제나 콜히친 등을 사용해볼 수 있으며, 스테로이드제제를 관절강내 주사하는 것도 효과적이다. 이러한 약물 투여 후에도 관절염이 조절되지 않고 지속적인 환자에서 설파살라진이나 인터페론 알파 등의 약물을 투여해 볼 수 있다.

3) 안구 병변(Ocular lesions)

염증이 전방 포도막에만 국한된 경우에는 대부분 산동제나 스테로이드제제의 국소 투여로 호전된다. 후방 포도막염이나 망막 혈관염이 발생한 경우에는 시력 소실을 막기 위해 면역억제제 투여 등 적극적인 치료가 필수적이다. 가장 효과적인 면역억제제 중의 하나가 사이클로스포린이다. 활

표 20. 베체트병의 임상 증상별로 선택할 수 있는 치료 약제

Mucocutaneous disease	First line agents
	Topical corticosteroids Colchicine Dapsone Combination of above Second line agents
	Short-term trial of low or intermediate dosage of cortocosteroids Azathioprine Thalidomide Interferon alfa
Arthritis	First line agents
	Nonsteroidal antiinflammatory agents Colchicine Intra-articular steroid injection Second line agents
	Sulfasalazine Interferon alfa
Anterior uveitis	Topical mydriatics and corticosteroid drops
Posterior uveitis or panuveitis	First line agents
	Corticosteroids plus cyclosporine Corticosteroids plus azathioprine Corticosteroids plus cyclosporine for first 6 months, followed by azathioprine for 18 months instead of cyclosporine Second line agents
	Corticosteroids plus cyclosporine plus azathioprine Interferon alfa Anti-tumor necrosis factor agents
Intestinal ulcerations	First line agent
	Corticosteroids plus sulfasalazine Second line agents
	Azathioprine Short-term trial of cyclophosphamide in cases with active vasculitis Anti-tumor necrosis factor agents
Thrombophlebitis or deep vein thrombosis	Antiplatelet agents plus immunosuppressive agents Anticoagulants: debatable
Central nervoue system or large vessel vasculits	Corticosteroids plus intravenous cyclophosphamide pulse therapy: corticosteroids can be given as methyprednisolone pulse when necessary

장현규. 대한류마티스학회지 2003; 10: 101-10.

동성 포도막염이 있는 경우 하루 사이클로스포린 5 mg/kg과 프레드니솔론 1 mg/kg를 투여하고 프레드니솔론은 상태에 따라 빨리 감량한다. 또한 하루 아자티오프린 2 mg/kg와 프레드니솔론 1 mg/kg를 투여하는 것도 효과적인 치료법 중의 하나이다. 사이클로스포린은 첫 6개월간에는 월등한 치료 효과를 보였으나 그 이후에는 효과가 감소된다고 보고되고 있어, 첫 6개월간 사이클로스포린으로 관해를 유도한 후 나머지 18개월간 아자티오프린으로 관해를 유지하는 것도 좋은 치료 방법 중의 하나이며 저자가 가장 선호하는 방법이기도 하다. 최근 기존의 치료로 반응하지 않는 난치성 포도막염 환자에 종양괴사인자 차단제 투여가 효과적인 치료 약제라고 보고되고 있다.

4) 위장관 병변(Gastrointestinal lesions)

베체트병에 의한 회맹부 궤양은 구강 궤양과 달리 치료에 잘 반응하지 않고 심한 경우 출혈이나 천공이 합병하는 예를 종종 경험한다. 아직 표준화된 치료가 없어 염증성 대장질환(inflammatory bowel disease)의 치료에 준하고 있는데, 설파살라진 1g bid와 프레드니솔론을 주로 사용하고, 최근 5-aminosalicylic acid 제제인 메살라진(mesalazine)을 투여하여 식도 궤양이 치유된 예가 보고되었다. 저자의 경험에 의하면 식도 궤양은 일반적인 회맹부 궤양이 스테로이드에 잘 반응하지 않고 천공이 잘 합병하는 것과는 달리 저용량 스테로이드에 잘 반응하는 것 같다. 그림 78과 79는 연하곤란을 호소하는 베체트병 환자에서 식도 궤양이 합병한 내시경 사진이며, 그림 80과 81은 프레드니솔론을 하루 15 mg 투여한 후 연하곤란 등의 임상 증상이 수일 내 소실되고 10일 후 시행한 내시경 검사상 식도 궤양이 치유된 사진을 보여주고 있다. 또한 난치성 회맹부 궤양에 프레드니솔론과 아자티오프린을 사용해 볼 수 있는데, 한가지 주의할 점은 아자티오프린과 설파살라진을 병합해서 투여하는 경우 설파살라진이 아자티오프린에 의한 TPMT의 활성도를 감소시켜 치명적인 무과립구증(agranulocytosis)을 초래할 수 있어 가급적 아자티오프린과 설파살라진의 병용 투여는 피하는 것이 좋다. 최근 종양괴사인자 차단제가 베체트병에 의한 난치성 위장관 궤양에도 상당한 효과가 있음이 보고되고 있어 기존 약제에 반응하지 않는 난치성 위장관 궤양에 종양괴사인자 차단제 투여를 고려해 볼 수 있다. 아직 용량과 용법이 표준화되어 있지 않아, 류마티스 관절염의 치료에서 사용하는 방법과 같은 방법을 사용하나 사용하는 간격과 기간은 환자에 따라 결정하는 것이 바람직하다. 또한 이터너셉트는 장 궤양을 동반한 질환에 효과가 없다고 알려져 있어 회맹부 궤양을 동반한 베체트병의 치료에는 인프릭시맵의 사용이 추천된다.

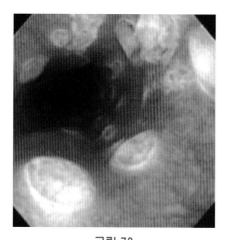

그림 78

장현규 등, 대한류마티스학회지 1999; 6: 277-82.

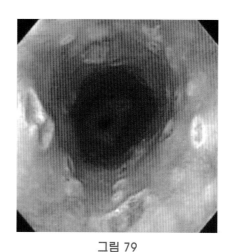

그림 79

장현규 등, 대한류마티스학회지 1999; 6: 277-82.

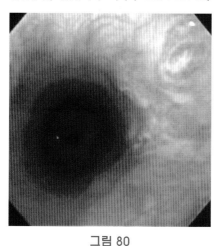

그림 80

장현규 등, 대한류마티스학회지 1999; 6: 277-82.

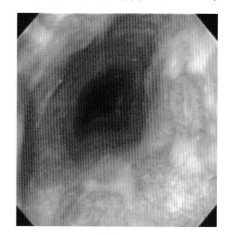

그림 81

장현규 등, 대한류마티스학회지 1999; 6: 277-82.

5) 혈관 및 중추신경계 병변 (Vascular and central nervous system lesions)

베체트병의 혈관내 혈전은 색전형성(embolization)을 하는 경우는 아주 드물기 때문에 항응고제를 사용하는 것에 대해 논란이 있으며, 일반적으로 저용량 아스피린 등의 항혈소판 제제와 면역억제제 사용이 추천된다. 많이 사용되는 면역억제제로는 프레드니솔론과 아자티오프린을 병용투여하는 것이며, 중추신경계 병변을 포함한 중요 혈관의 활동성 혈관염이 있는 경우에는 고용량의 스테로이드제와 사이클로포스파마이드를 환자의 경과에 따라 일정 기간 투여할 수 있다.

4. 외과적 치료(Surgical management)

베체트병 환자는 단순한 외상에도 일종의 폐설지 반응으로 인해 과민한 염증반응이 발생하여 수술 후 합병증이 초래될 수 있다. 그러나 이러한 것이 수술이 필요한 상황에서 수술의 금기로 생각해서는 안 된다. 심한 위장관 궤양으로 인해 출혈이 지속되거나 장천공이 합병한 경우 수술적 치료가 필요하고, 동맥류가 약물요법에 반응하지 않는 경우에도 수술적 제거가 필요하다. 베체트병 환자에 침습적인 수술이 필요한 경우, 수술부위에 발생하는 여러 합병증을 예방하기 위해, 수술 직 후부터 적당량의 스테로이드가 필요한데, 사용하는 기간과 용량은 환자의 상태에 따라 결정해야 되며, 아울러 환자에 따라 면역억제제의 병용 투여가 필요할 수 있다[2,7,8,35].

 참고문헌

1. Yazici H, Yurdakul S, Hamuryudan V. The management of Behcet's syndrome: how are we doing? Clin Exp Rheumatol 1999; 17: 145-7.

2. Kaklamani V, Kaklamanis PG. Treatment of Behcet's disease?an update. Semin arthritis rheum 2001; 30: 299-312.

3. 장현규. 베체트병의 치료. 대한류마티스학회지 2003; 10: 101-10.

4. Bang D. Treatment of Behcet's disease. Yonsei Med J 1997;38:401-10.

5. Ghate JV, Jorizzo JL. Behcet's disease and complex aphthosis. J Am Acad Dermatol 1999; 40: 1-18.

6. Yazici H, Barnes CG. Practical treatment recommendations for pharmacotherapy of Behcet's syndrome. Drugs 1991; 42: 796-804.

7. Kaklamani VG, Vaiopoulos G, Kaklamanis PG. Behcet's Disease. Semin Arthritis Rheum 1998; 27: 197-217.

8. Sakane T, Takeno M, Suzuki N, Inaba G. Behcet's disease. N Engl J Med 1999; 341: 1284-91.

9. Toda K, Shiratori Y, Yasuda M, Enya M, Uematsu T, Shimazaki M, et al. Therapeutic effect of intraarterial prednisolone injection in severe intestinal Behcet's disease. J Gastroenterol 2002; 37: 844-8.

10. Rattan J, Schneider M, Arber N, Gorsky M, Dayan D. Sucralfate suspension as a treatment of recurrent aphthous stomatitis. J Intern Med 1994; 236: 341-3.

11. Alpsoy E, Er H, Durusoy C, Yilmaz E. The use of sucralfate suspension in the treatment of oral and genital ulceration of Behcet disease: a randomized, placebo-controlled, double-blind study. Arch Dermatol 1999; 135: 529-32.

12. Khandwala A, Van Inwegen RG, Alfano MC. 5% amlexanox oral paste, a new treatment for recurrent minor aphthous ulcers: I. Clinical demonstration of acceleration of healing and resolution of pain. Oral Surg Oral Med Oral Pathol Oral Radiol Endod 1997; 83: 222-30.

13. Edres MA, Scully C, Gelbier M. Use of proprietary agents to relieve recurrent aphthous stomatitis. Br Dent J 1997; 182: 144-6.

14. Alli N, Karakayali G, Kahraman I, Artuz F. Local intralesional therapy with rhGM-CSF for a large genital ulcer in Behcet's disease. Br J Dermatol 1997; 136: 639-40.

15. Ben-Chetrit E, Levy M. Colchicine: 1998 update. Semin Arthritis Rheum 1998; 28: 48-59.

16. Aktulga E, Altac M, Muftuoglu A, Ozyazgan Y, Pazarli H, Tuzun Y, et al. A double blind study of colchicine in Behcet's disease. Haematologica 1980; 65: 399-402.

17. Yurdakul S, Mat C, Tuzun Y, Ozyazgan Y, Hamuryudan V, Uysal O, et al. A double-blind trial of colchicine in Behcet's syndrome. Arthritis Rheum 2001; 44: 2686-92.

18. Sharquie KE. Suppression of Behcet's disease with dapsone. Br J Dermatol 1984; 110: 493-4.

19. Sharquie KE, Najim RA, Abu-Raghif AR. Dapsone in Behcet's disease: a double-blind, placebo-controlled, cross-over study. J Dermatol 2002; 29: 267-79.

20. Bousvaros A, Mueller B. Thalidomide in gastrointestinal disorders. Drugs 2001; 61: 777-87.

21. Mascaro JM, Lecha M, Torras H. Thalidomide in the treatment of recurrent, necrotic, and giant mucocutaneous aphthae and aphthosis. Arch Dermatol 1979; 115: 636-7.

22. Hamuryudan V, Mat C, Saip S, Ozyazgan Y, Siva A, Yurdakul S, Thalidomide in the treatment of the mucocutaneous lesions of the Behcet syndrome. A randomized, double-blind, placebo-controlled trial. Ann Intern Med 1998; 128: 443-50.

23. Gardner-Medwin JM, Smith NJ, Powell RJ. Clinical experience with thalidomide in the management of severe oral and genital ulceration in conditions such as Behcet's disease: use of neurophysiological studies to detect thalidomide neuropathy. Ann Rheum Dis 1994; 53: 828-32.

24. Hess CW, Hunziker T, Kupfer A, Ludin HP. Thalidomide-induced peripheral neuropathy. A prospective clinical, neurophysiological and pharmacogenetic evaluation. J Neurol 1986; 233: 83-9.

25. Ochonisky S, Verroust J, Bastuji-Garin S, Gherardi R, Revuz J. Thalidomide neuropathy incidence and clinico-electrophysiologic findings in 42 patients. Arch Dermatol 1994; 130: 66-9.

26. Yasui K, Kobayashi M, Komiyama A. Successful treatment of Behcet' s disease with pentoxifylline. Ann Intern Med 1996; 124: 891-3.

27. Tsambaos D, Eichelberg D, Goos M. Behcet's syndrome: treatment with recombinant leukocyte alpha-interferon. Arch Dermatol Res 1986; 278: 335-6.

28. Zouboulis CC, Orfanos CE. Treatment of Adamantiades-Behcet disease with systemic interferon alfa. Arch Dermatol 1998; 134: 1010-6.

29. Alpsoy E, Durusoy C, Yilmaz E, Ozgurel Y, Ermis O, Yazar S, et al. Interferon alfa-2a in the treatment of Behcet disease: a randomized placebo-controlled and double-blind study. Arch Dermatol 2002; 138: 467-71.

30. Budak-Alpdogan T, Demircay Z, Alpdogan O, Direskeneli H, Ergun T, Bayik M, et al. Behcet's disease in patients with chronic myelogenous leukemia: possible role of interferon-alpha treatment in the occurrence of Behcet's symptoms. Ann Hematol 1997; 74: 45-8.

31. Budak-Alpdogan T, Demircay Z, Alpdogan O, Direskeneli H, Ergun T, Ozturk A, et al. Skin hyperreactivity of Behcet's patients (pathergy reaction) is also positive in interferon alpha-treated chronic myeloid leukaemia patients, indicating similarly altered neutrophil functions in both disorders. Br J Rheumatol 1998; 37: 1148-51.

32. Kawano T, Shigehira M, Uto H, Nakama T, Kato J, Hayashi K, et al. Retinal complications during interferon therapy for chronic hepatitis C. Am J Gastroenterol 1996; 91: 309-13.

33. Mamo JG. The rate of visual loss in Behcet's disease. Arch Ophthalmol 1970; 84: 451-2.

34. Masuda K, Nakajima A, Urayama A, Nakae K, Kogure M, Inaba G. Double-masked trial of cyclosporin versus colchicine and long-term open study of cyclosporin in Behcet's disease. Lancet 1989; 1: 1093-6.

35. Yazici H, Yurdakul S, Hamuryudan V. Behcet's disease. Curr Opin Rheumatol 2001; 13: 18-22.

36. Whitcup SM, Salvo EC Jr, Nussenblatt RB. Combined cyclosporine and corticosteroid therapy for sight-threatening uveitis in Behcet's disease. Am J Ophthalmol 1994; 118: 39-45.

37. Ozyazgan Y, Yurdakul S, Yazici H, Tuzun B, Iscimen A, Tuzun Y, et al. Low dose cyclosporin A versus pulsed cyclophosphamide in Behcet's syndrome: a single masked trial. Br J Ophthalmol 1992; 76: 241-3.

38. Chang HK, Kim JW. The clinical features of Behcet's disease in Yongdong districts: analysis of a cohort followed from 1997 to 2001. J Korean Med Sci 2002; 17: 784-9.

39. Feutren G, Mihatsch MJ. Risk factors for cyclosporine-induced nephropathy in patients with autoimmune diseases. International Kidney Biopsy Registry of Cyclosporine in Autoimmune Diseases. N Engl J Med 1992; 326: 1654-60.

40. Kotake S, Higashi K, Yoshikawa K, Sasamoto Y, Okamoto T, Matsuda H. Central nervous system symptoms in patients with Behcet disease receiving cyclosporine therapy. Ophthalmology 1999; 106: 586-9.

41. Kato Y, Numaga J, Kato S, Kaburaki T, Kawashima H, Fujino Y. Central nervous system symptoms in a population of Behcet's disease patients with refractory uveitis treated with cyclosporine A. Clin Exp Ophthalmol 2001; 29: 335-6.

42. Yazici H, Pazarli H, Barnes CG, Tuzun Y, Ozyazgan Y, Silman A, et al. A controlled trial of azathioprine in Behcet's syndrome. N Engl J Med 1990; 322: 281-5.

43. Hamuryudan V, Ozyazgan Y, Hizli N, Mat C, Yurdakul S, Tuzun Y, et al. Azathioprine in Behcet's syndrome: effects on long-term prognosis. Arthritis Rheum 1997; 40: 769-74.

44. Choi IJ, Kim JS, Cha SD, Jung HC, Park JG, Song IS, et al. Long-term clinical course and prognostic factors in intestinal Behcet's disease. Dis Colon Rectum 2000; 43: 692-700.

45. Sonta T, Araki Y, Kubokawa M, Tamura Y, Ochiai T, Harada N, et al. The beneficial effect of mesalazine on esophageal ulcers in intestinal Behcet's disease. J Clin Gastroenterol 2000; 30: 195-9.

46. 장현규, 김연석, 김완수, 정행섭, 정승문. 다발성 식도궤양과 회장말단부궤양을 동반한 베체트병 2예. 대한류마티스학회지 1999; 6: 277-82.

47. Moral F, Hamuryudan V, Yurdakul S, Yazici H. Inefficacy of azapropazone in the acute arthritis of Behcet's syndrome: a randomized, double blind, placebo controlled study. Clin Exp Rheumatol 1995; 13: 493-5.

48. Sfikakis PP. Behcet's disease: a new target for anti-tumour necrosis factor treatment. Ann Rheum Dis 2002; 61(Suppl II): ii51-3.

49. Ohno S, Nakamura S, Hori S, Shimakawa M, Kawashima H, Mochizuki M, et al. Efficacy, safety, and pharmacokinetics of multiple administration of infliximab in Behcet's disease with refractory uveoretinitis. J Rheumatol 2004; 31: 1362-8.

50. Melikoglu M, Fresko I, Mat C, Ozyazgan Y, Gogus F, Yurdakul S, et al. Short-term trial of etanercept in Behcet's disease: a double blind, placebo controlled study. J Rheumatol 2005; 32: 98-105.

51. Sarwar H, Mcgrath H Jr, Espinoza LR. Successful treatment of long-standing neuro-Behcet's disease with infliximab. J Rheumatol 2005; 32: 181-3.

52. Barnes CG, Yazici H. Behcet's syndrome. Rheumatology 1999; 38: 1171-6.

53. Calguneri M, Kiraz S, Ertenli I, Benekli M, Karaarslan Y, Celik I. The effect of prophylactic penicillin treatment on the course of arthritis episodes in patients with Behcet's disease. A randomized clinical trial. Arthritis Rheum 1996; 39: 2062-5.

54. Calguneri M, Ertenli I, Kiraz S, Erman M, Celik I. Effect of prophylactic benzathine penicillin on mucocutaneous symptoms of Behcet's disease. Dermatology 1996; 192: 125-8.

55. Kaneko F, Oyama N, Nishibu A. Streptococcal infection in the pathogenesis of Behcet's disease and clinical effects of minocycline on the disease symptoms. Yonsei Med J 1997; 38: 444-54.

56. Hirohata S, Suda H, Hashimoto T. Low-dose weekly methotrexate for progressive neuropsychiatric manifestations in Behcet's disease. J Neurol Sci 1998; 159: 181-5.

예후 (Prognosis)

베체트병의 질병 활성도(disease activity)를 잘 반영할 수 있는 검사소견이나 임상 지표가 부족하며, 베체트병으로 인한 장기 손상이나 사망률에 영향을 줄 수 있는 중증도(severity)의 지표도 충분히 못한 실정이다.

베체트병의 중증도를 반영할 수 있는 좋은 연구로는 1984년 Yazici 등이 297명의 터키 환자를 대상으로 한 연구에서 남자와 여자 환자에서 나이가 젊을수록 심한 임상 증상 중의 하나인 안구 병변(ocular lesion)의 빈도가 많았으며, 질병활성도는 젊은 환자가 노령의 환자에 비해 높았고, 남자 환자에서 나이가 젊을수록 질병의 중증도가 더 심하다고 보고하였다. 그리고 평균 52개월 추적 관찰한 51명의 환자에서 질병활성도는 안구 병변이 시간이 지나면서 진행하는 것을 제외하고는 다른 베체트병 임상 증상은 시간이 가면서 감소하는 것을 관찰하였고, 시력감퇴를 동반한 안구 질환, 하대정맥 혈전증, 상대정맥 혈전증 및 동맥 폐쇄 등의 주요 혈관 병변(vascular lesion), 그리고 중추신경계 병변(central nervous system lesion)이 동반된 경우를 베체트병의 심한 병변으로 간주하였다[1].

Chang 등이 보고한 질병활성도의 임상 지표(chapter 6 참조)[2] 중 3점에 해당하는 후방 포도막염이나 망막 혈관염, 출혈이나 천공을 동반한 위장관 궤양, 주요한 혈관 침범이나 중추신경계, 폐, 심장 및 신장 등 주요 장기의 침범 등이 질병 경과 중 발견되는 경우를 심한 질환으로 정의하여 국내 베체트병 환자를 대상으로 한 여러 임상 연구에 이용되고 있다(표 21)[2-9].

터키 Yazici 등이 이끄는 베체트병 연구센터에서 1977년부터 20년 동안 추적 관찰한 387명의 베체트병 환자들의 임상 경과에 대한 연구에서, 구강 궤양, 음부 궤양, 피부 증상, 및 관절염 등을 포

표 21. 베체트병의 심한 임상 증상

- Posterior uveitis or retinal vasculitis
- Gastrointestinal ulceraton with bleeding or perforation
- Major vessel involvement
- Major organ involvement such as brain, lung, kidney or heart

함하는 전반적인 질병의 활성도는 시간이 지나면서 감소되었으며, 안구 질환의 경우 베체트병이 발생한 지 수년내 발생하고 처음 수년간 안구 손상이 가장 많이 발생하기 때문에 치료시작 당시의 안구 손상의 정도가 안구 병변의 예후에 중요하며, 안구 질환의 치료에 사이클로스포린을 사용하면서 예후가 많이 호전되었다고 보고하였다. 그러나 베체트병의 다른 임상 증상과 달리 중추신경계 병변과 혈관 질환의 경우에는 질병초기보다는 질병이 시작한지 5-10년 정도가 경과하면서 오히려 잘 발생한다고 하였다. 또한 다른 여러 연구들의 결과와 같이 여자 환자들의 전반적인 질병 중증도가 남자 환자보다 덜하며, 안구 병변, 혈관 병변 및 중추신경계 질환 등 예후가 불량한 임상 증상의 빈도도 여자 환자에서 남자 환자에 비해 현저히 발생 빈도가 적다고 보고하였다[10].

베체트병 환자의 사망원인 중 가장 빈번한 원인으로는 중요 혈관 병변과 중추신경계 질환이며, 특히 젊은 남자에서 사망률이 가장 높아 예후가 불량하다. Kural-Seyahi 등은 평균 19년 동안 추적 관찰한 환자들 중 남자와 여자 환자의 사망률은 각각 14.9%와 2.4%로 남자 환자에 사망률이 현저히 높았으며, 폐동맥류(pulmonary aneurysm)를 포함한 중요혈관 질환이 가장 흔한 사망원인이었고, 중추신경계 병변이 다음으로 빈번한 사망 원인이라고 보고하였다[10]. Yazici 등이 10년 동안 추적 관찰한 152명의 환자 중 6명(3.9%)이 사망하였는데 역시 혈관과 중추신경계 병변이 중요한 사망원인이었다[11]. Hamuryudan 등은 24명의 폐동맥류를 동반한 베체트병 환자의 50%가 2년내 사망하였다고 보고하였으며[12], Akman-Demir 등은 중추신경계 질환을 가진 환자들 중 7년내 사망률이 20%라고 보고하였다[13].

요약하면 베체트병의 중증도는 젊은 남자에 심하고, 예후와 밀접히 관련있는 증상도 남자에 더 흔하다. 질병의 장기 손상(organ damage)으로 인한 후유증(morbidity)을 가장 많이 유발하는 증상은 안구 병변이며, 사망(mortality)과 가장 관련이 있는 질환으로는 중요혈관 질환과 중추신경계 질환 등이다. 국내 베체트병 환자는 중동 지역 환자와 비교해서 발병연령이 늦고, 여자 환자의 빈도가 남자 환자보다 2배가량 많아 질병의 중증도나 사망률이 중동 지방 환자보다 낮으며, 특히 시력 손실을 동반한 심한 안구 질환을 가진 환자나 사망과 관련있는 중요 혈관이나 중추신경계 병변을 가진 환자의 빈도가 적은 것은 다행한 일이다[15,16]. 국내의 한 연구에서 1983년부터 10년 동안

표 22. 후유증 및 사망원인과 가장 밀접한 관련이 있는 베체트병 임상증상

	한국	중동 지역
후유증	회맹부 출혈 및 천공 (장 베체트병)	안구 병변
사망원인	회맹부 출혈 및 천공 (장 베체트병)	중요 혈관 병변 및 중추신경계 침범

진료한 2200명의 환자 중 7명(0.3%)의 환자가 사망했는데 사망원인으로는 장 궤양의 출혈과 천공, 상대정맥과 하대정맥 혈전증, 대동맥폐쇄부전증, 뇌혈관질환 및 폐혈증 등이라고 보고하였다[17]. 저자도 약 8년간 관심있게 300명 이상의 베체트병 환자들을 진료하면서 회맹부 궤양의 출혈과 천공이 있는 2명의 환자만이 사망한 것을 경험하였다(비출간 자료). 이는 중동 지역의 보고와는 달리 국내 환자에서는 베체트병의 사망률이 현저히 낮으며 장 베체트병(intestinal Behcet's disease) 환자의 빈도가 비교적 많고, 장 베체트병으로 인한 출혈과 천공이 질병의 후유증이나 사망과도 깊은 관련이 있음을 시사한다(표 22).

 참고문헌

1. Yazici H, Tuzun Y, Pazarli H, Yurdakul S, Ozyazgan Y, Ozdogan H, et al. Influence of age of onset and patient's sex on the prevalence and severity of manifestations of Behcet's syndrome. Ann Rheum Dis 1984; 43: 783-9.

2. Chang HK, Cheon KS. The clinical significance of a pathergy reaction in patients with Behcet's disease. J Korean Med Sci 2002; 17: 371-4.

3. Kim JU, Chang HK, Lee SS, Kim JW, Kim KT, Lee SW, Chung WT. Endothelial nitric oxide synthase gene polymorphisms in Behcet's disease and rheumatic diseases with vasculitis. Ann Rheum Dis 2003; 62: 1083-7.

4. Chang HK, Kim JU, Lee SS, Yoo DH. Lack of association between angiotensin converting enzyme gene polymorphism and Korean Behcet's disease. Ann Rheum Dis 2004; 63: 106-7.

5. Chang HK, Lee SS, Kim JW, Jee YK, Kim JU, Lee YW, et al. The prevalence of atopy and atopic diseases in Behcet's disease. Clin Exp Rheumatol 2003; 21(Suppl 30): S31-4.

6. Chang HK, Jang WC, Park SB, Han SM, Nam YH, Lee SS, et al. Association between interleukin 6 gene polymorphisms and Behcet's disease in Korean people. Ann Rheum Dis 2005; 64: 339-40.

7. Jang WC, Park SB, Nam YH, Lee SS, Kim JW, Chang IS et al. Interleukin-18 gene polymorphisms in Korean patients with Behcet's disease. Clin Exp Rheumatol (in press).

8. Chang HK, Kim SK, Lee SS, Rhee MY. Arterial stiffness in Behcet's disease: increased regional pulse wave values. Ann Rheum Dis (in press).

9. Kim SK, Jang WC, Park SB, Park DY, Lee SS, Jun JB et al. SLC11A1 gene polymorphisms in Korean patients with Behcet's disease. Unpublished observation.

10. Kural-Seyahi E, Fresko I, Seyahi N, Ozyazgan Y, Mat C, Hamuryudan V,et al. The long-term mortality and morbidity of Behcet syndrome: a 2-decade outcome survey of 387 patients followed at a dedicated center. Medicine 2003; 82: 60-76.

11. Yazici H, Basaran G, Hamuryudan V, Hizli N, Yurdakul S, Mat C, et al. The ten-year mortality in Behcet's syndrome. Br J Rheumatol 1996; 35: 139-41.

12. Hamuryudan V, Yurdakul S, Moral F, Numan F, Tuzun H, Tuzuner N, et al. Pulmonary arterial aneurysms in Behcet's syndrome: a report of 24 cases. Br J Rheumatol 1994; 33: 48-51.

13. Akman-Demir G, Baykan-Kurt B, Serdaroglu P, Gurvit H, Yurdakul S, Yazici H, et al. Seven-year follow-up of neurologic involvement in Behcet syndrome. Arch Neurol 1996; 53: 691-4.

14. Chang HK, Kim JW. The clinical features of Behcet's disease in Yongdong districts: analysis of a cohort followed from 1997 to 2001. J Korean Med Sci 2002; 17: 784-9.

15. Chang HK. Update on the molecular genetic studies of Behcet's disease. Curr Rheumatol Rev (in press).

16. Park KD, Bang D, Lee ES, Lee SH, Lee S. Clinical study on death in Behcet's disease. J Korean Med Sci 1993; 8: 241-5.

영문

A

B

C

D

E

U

V

W